MÉMOIR

C'est de son « douloureux apprentissage consistant à être vivant » dont nous parle António Lobo Antunes dans ce premier roman. Dans ces pages, le narrateur ne sait plus s'il est bien le psychiatre de l'établissement dont il décrit les pensionnaires avec une perspicacité impitoyable, ou l'un des malades qui y naviguent... De retour de la guerre d'Angola, il a été profondément marqué par les atrocités qu'il y a vues. Le Portugal vit encore sous le joug de la dictature salazariste et de sa police secrète. Il a quitté son épouse – qu'il a aimée passionnément, qu'il aime toujours. Il se néglige, erre la nuit dans les casinos de banlieue, participe trois fois par semaine à une analyse de groupe dont l'efficacité lui semble improbable. Tout le révolte, le bouleverse, l'atteint. Sa conscience torturée ne trouve des moments de répit que dans les instants qu'il passe avec ses filles, lorsqu'il les emmène au cirque et que le monde réel s'abolit pour laisser place à la beauté des contorsionnistes et des saltimbanques…

Dans ce livre communiquent le dédale intérieur de l'écrivain et le labyrinthe de l'asile, mais aussi les théâtres de la guerre privée ou collective, le magma intime des souvenirs de l'enfance et le tableau de toute la société lisboète des années 80. Le regard critique avec lequel il contemple le monde, António Lobo Antunes trouve pour l'exprimer des formules pleines d'humour noir, des comparaisons baroques, servies par une imagination et une originalité rares.

Né en 1942, António Lobo Antunes vit à Lisbonne. Médecin, il participe à la guerre coloniale du Portugal en

Angola de 1969 à 1973 et exerce, dès son retour, à l'hôpital dans un service psychiatrique qu'il finit par diriger. Auteur d'une douzaine de livres, dont La Mort de Carlos Gardel, Le Manuel des inquisiteurs, *ou encore* Le Cul de Judas, *roman qui lui apporta la célébrité au Portugal, il est aujourd'hui considéré comme l'un des auteurs portugais les plus importants de sa génération.*

António Lobo Antunes

MÉMOIRE D'ÉLÉPHANT

ROMAN

Traduit du portugais
par Violante do Canto et Yves Coleman

Christian Bourgois éditeur

TEXTE INTÉGRAL

TITRE ORIGINAL
Memória de Elefante
© ORIGINAL
1979, António Lobo Antunes

ISBN 2-02-034896-9
(ISBN 2-267-01407-6, 1re publication)

www.seuil.com

Pour Zézinha et Joana

« As large as life and twice as natural. »
Lewis Carroll, *Alice à travers le miroir.*

« Il y a toujours une combine pour se tailler, alors tenez le coup, ça va chauffer. »
Maxime de Dédé,
juste avant de s'évader de prison.

Il travaillait dans l'hôpital où son père avait exercé et où très souvent, pendant son enfance, il l'avait accompagné : un ancien couvent avec, sur la façade, une horloge de mairie de village, une cour aux platanes rouillés, des malades en uniforme errant au hasard abrutis par les calmants, le sourire gras du concierge retroussant ses lèvres vers le haut comme s'il allait s'envoler : de temps en temps, métamorphosé en encaisseur, ce Jupiter aux visages successifs surgissait devant lui au coin de l'infirmerie, sa serviette en plastique sous l'aisselle, en brandissant un bout de papier impératif et en suppliant :

— La petite cotisation de l'Association, docteur.

Putain de psychiatres organisés en escouade de policiers, pensait-il à chaque fois en cherchant les cent escudos dans le dédale de son portefeuille, putain de Grand Orient de la Psychiatrie, des solennels étiqueteurs de souffrance, des mabouls atteints de l'unique forme sordide de folie qui consiste à surveiller et persécuter la liberté de la folie d'autrui sous le couvert du code pénal des traités de médecine, putain d'Art de Cataloguer l'Angoisse, putain de moi, concluait-il en empochant le rectangle imprimé de l'association, parce que j'y collabore en payant, avec ça, au lieu de poser des bombes dans les seaux de pansements et les tiroirs des bureaux des médecins pour faire exploser, en un triomphal champignon atomique, cent vingt-cinq années d'idiotie à la Pina Manique[1]. Le regard intensément bleu du concierge-encaisseur, qui assistait sans comprendre à un reflux de révolte qui le dépassait, l'enveloppait dans un halo d'ange médiéval apaisant : l'un des projets secrets du médecin était de sauter à pieds joints à l'intérieur des tableaux de Cimabue et de se dissoudre dans les ocres fanées d'une époque non encore polluée par les tables de Formica et par les images pieuses de la petite Conceição[2] : piquer des plongeons rasants de perdrix, déguisé en séraphin potelé, le long de genoux de vierges étrangement semblables aux femmes de Delvaux, mannequins de frayeur nus dans des gares que personne ne hante. Un reste agonisant de fureur vint tournoyer dans l'émonctoire de sa bouche :

— Monsieur Morgado, pour la santé de vos couilles et des miennes, ne m'emmerdez plus avec ces conneries de cotisations pendant un an et dites à

1. Pina Manique, Diogo Ignacio de (1733-1803). Du temps du marquis de Pombal, intendant général de la police, organisme préfigurant la PIDE de Salazar. (*N.B.* Toutes les notes sont des notes du traducteur.)

2. Conceição, appelée Saozinha. Jeune fille de la bourgeoisie lisboète dont les parents, après sa mort, ont voulu faire une sainte en multipliant les images pieuses et les almanachs.

la société de neurologie et de psychiatrie ainsi qu'à tous les fonctionnaires du cervelet de mettre mon argent bien enroulé et enduit de vaseline là où je pense, merci, j'ai dit, amen.

Le concierge-encaisseur l'écoutait respectueusement (à l'armée, ce type a dû être l'indic favori du sergent, découvrit le médecin), réinventant les lois de Mendel à l'échelle du deux-pièces-cuisine de son intellect.

— On voit tout de suite que le docteur est le fils du docteur : un jour, votre père a expulsé du laboratoire un inspecteur en le tirant par les oreilles.

L'azimut tourné vers le registre de pointage et un sein de Delvaux disparaissant dans un coin de sa pensée, le psychiatre se rendit compte soudain de l'admiration que les prouesses guerrières de son géniteur avaient disséminées, ici et là, dans la nostalgie de certains ventres grisonnants. Mes garçons, les appelait son père. Lorsque, vingt ans auparavant, son frère et lui avaient commencé à jouer au hockey dans l'équipe de Benfica, l'entraîneur, qui avait partagé avec leur père des Aljubarrotas[1] dorées de coups de crosse sur l'occiput, retira le sifflet de sa bouche pour les prévenir avec gravité :

— J'espère que vous êtes de la même trempe que João qui, lorsqu'il jouait à Santos, adorait la bagarre. En 1935, sur la piste de Gomes Pereira, trois types

1. Allusion à la bataille d'Aljubarrota (1385) au cours de laquelle le roi Jean Ier vainquit les Castillans et assura l'indépendance du Portugal.

du club académique d'Amadora ont été envoyés à l'hôpital São José.

Et il ajouta tout bas, comme heureux d'évoquer un souvenir plaisant :

— Fracture du crâne, avec le ton de voix que l'on prend pour révéler les secrets intimes d'une passion adolescente, conservée dans le tiroir de la mémoire réservé aux bricoles de pacotille qui donnent sens à un passé.

— J'appartiens irrémédiablement à la classe des taureaux peu combatifs qui se réfugient derrière la palissade, pensa-t-il en signant son nom sur le registre que le garçon de bureau lui tendait, vieux chauve possédé par l'étrange passion de l'apiculture, scaphandrier muni d'un filet, échoué sur un récif d'insectes, à la classe des taureaux pacifiques qui se réfugient derrière la palissade en rêvant à l'étable de l'utérus maternel, unique espace possible où ancrer les tachycardies de l'angoisse. Et il eut l'impression d'être chassé loin d'une maison dont il avait oublié l'adresse, parce que bavarder avec la surdité de sa mère lui semblait plus vain que de donner des coups de poing sur la porte fermée d'une pièce vide, malgré les efforts du Sonotone grâce auquel elle maintenait avec le monde extérieur un contact faussé et confus, fait d'échos de cris et de grands gestes explicatifs de clown pauvre. Pour entrer en communication avec cet œuf de silence, son fils entamait une sorte de danse zouloue rythmée par des cris perçants, sautait sur le tapis en déformant son visage avec des grimaces de caoutchouc, battait des mains, grognait, finissait par sombrer exténué sur un canapé dodu comme un diabétique hostile au régime, et c'était alors que, poussée par un tropisme végétal de tournesol, sa mère levait son menton innocent de son tricot et demandait :

— Hein ? les aiguilles suspendues au-dessus de sa pelote à la façon d'un Chinois immobilisant ses baguettes devant son déjeuner interrompu.

La classe des doux paumés, la classe des doux paumés, la classe des doux paumés, répétaient les marches à mesure qu'il les gravissait, et l'infirmerie se rapprochait de lui, tel un urinoir de gare vu d'un train en marche, commandée par une vache sacrée qui, avant d'engueuler ses subordonnées, retirait son dentier de sa bouche, comme quelqu'un retrousse ses manches pour renforcer l'efficacité des insultes. L'image de ses filles, auxquelles il rendait visite le dimanche avec la quasi-furtivité d'une permission militaire, lui traversa obliquement la tête dans l'un de ces faisceaux de lumière poussiéreuse que les lucarnes des greniers transforment en une sorte de joie triste. Il avait l'habitude de les emmener au cirque pour tenter de leur communiquer son admiration pour les contorsionnistes, entrelacées en elles-mêmes comme des initiales au coin d'une serviette et porteuses de l'insaisissable beauté que détiennent également les haleines soyeuses annonçant dans les aéroports le départ des avions et les fillettes en jupe à volants et bottes blanches qui, au jardin zoologique, dessinent à reculons des ellipses sur la piste de patinage, et il se sentait déçu, comme trahi, par leur étrange intérêt pour les dames équivoques, aux cheveux blonds à racines grises, qui dressaient des chiens mélancoliquement obéissants et uniformément hideux, ou par le petit garçon de six ans qui déchirait des annuaires téléphoniques avec le rire facile des gorilles en bouton, futur Mozart du casse-tête. Les crânes de ces deux êtres minuscules, qui portaient son nom et prolongeaient l'architecture de ses traits, lui apparaissaient aussi mystérieusement opaques que les problèmes de robinet à l'école, et il était stupéfait de penser que, sous des cheveux possédant la même odeur que les siens, germaient des idées différentes de celles qu'il avait péniblement emmagasinées au cours d'années et d'années d'hésitations et de doutes. Il s'étonnait que, au-delà des tics et des gestes, la nature ne se fût pas efforcée de leur transmettre aussi, à titre de bonus, les poèmes d'Eliot qu'il connaissait par cœur, la silhouette d'Alves Barbosa pédalant aux Penhas da Saude, et l'apprentissage déjà effectué de la souffrance. Et derrière leurs sourires il distinguait, alarmé, l'ombre des angoisses futures, comme il percevait sur son propre visage, en le regardant bien, la présence de la mort dans sa barbe matinale.

Il chercha dans le trousseau de clés celle qui ouvrait la porte de l'infirmerie (mon côté gouvernante, murmura-t-il, ma facette de cambusier de navires imaginaires disputant aux rats les biscuits de la cale) et entra dans un long corridor balisé par d'épais montants de tombeau derrière lesquels étaient allongées, sous des couvertures douteuses, des femmes que l'excès de médicaments avait transformées en de somnambuliques infantes défuntes, agitées par les escurials de leurs fantasmes. L'infirmière-chef, dans son cabinet de docteur Mabuse, replaçait son dentier sur ses gencives avec la majesté de Napoléon se couronnant lui-même : en s'entrechoquant, ses molaires produisaient des bruits sourds de castagnettes en plastique, comme si leurs articulations étaient une création mécanique pour l'édification culturelle des lycéens ou des visiteurs du Château Fantôme de la Foire Populaire, où l'odeur des sardines grillées se combine subtilement avec les gémissements de colique des manèges. Un pâle crépuscule flottait en permanence dans le corridor et les silhouettes, éclairées par les lampes disloquées du plafond, acquéraient la texture de vertébrés immatériels du Dieu rive-gauche du catéchisme, qu'il imaginait toujours en train de s'évader du bagne des commandements pour promener librement, dans les nuits de la ville, sa chevelure biblique de Ginsberg éternel. Quelques vieilles, que les castagnettes buccales de Napoléon avaient réveillées de leur léthargie de pierre, traînaient au hasard leurs chaussons de chaise en chaise comme des oiseaux somnolents à la recherche d'un arbre où jeter l'ancre : le médecin tentait en vain de retrouver dans les spirales de leurs rides, qui lui rappelaient les mystérieux réseaux de fissures des tableaux de Vermeer, des jeunes hommes aux moustaches bien cirées, entre des kiosques à musique et des processions, nourris culturellement par Gervasio Lobato[1], par les conseils de confesseurs

1. Gervasio Lobato (1850-1895). Professeur de déclamation au conservatoire de Lisbonne, auteur de pièces de théâtre, d'opérettes et de romans.

et par les drames de gélatine de M. Julio Dantas[1], unissant cardinaux et chanteuses de fado dans des mariages rimés. Les octogénaires posaient sur lui leurs yeux de verre décolorés, vides comme des aquariums sans poissons, où la vase ténue d'une idée se condensait à grand-peine dans l'eau trouble de leurs souvenirs brumeux. L'infirmière-chef, faisant scintiller ses incisives en solde, guidait ce troupeau arthritique et le poussait des deux mains vers une petite salle où le téléviseur avait rendu l'âme dans un hara-kiri de solidarité avec les chaises bancales appuyées contre les murs et l'appareil de radio qui émettait, au cours de soubresauts heureusement rares, de longs hurlements phosphorescents de chien perdu dans la nuit d'une ferme. À l'intérieur du poulailler de nouveau en paix, les vieilles se calmaient peu à peu comme des poules ayant échappé au bouillon et mastiquaient le chewing-gum de leurs bajoues dans des ruminations prolixes sous une pieuse oléographie où l'humidité avait rongé les biscuits des auréoles des saints, vagabonds par anticipation d'un Katmandou céleste.

La salle de consultations se composait d'une armoire en ruine soustraite au grenier d'un brocanteur désabusé, de deux ou trois fauteuils précaires dont le rembourrage jaillissait des déchirures des sièges comme des cheveux par les trous d'un béret,

1. Julio Dantas (1876-1962). Médecin, dramaturge, diplomate et homme politique. Certaines de ses œuvres ont inspiré des opéras. Auteur de *A Severa*, pièce sur une populaire chanteuse de fado.

d'une table d'examen contemporaine de l'époque héroïco-phtisique du docteur Sousa Martins[1], et d'un bureau qui abritait dans la cavité destinée aux jambes une énorme corbeille à papier, parturiente délabrée affligée d'un trop gros fœtus. Sur un napperon taché, une rose de papier était plantée dans son vase de plastique comme le drapeau oublié du capitaine Scott dans les glaces du pôle Sud. Une infirmière ressemblant à la reine Maria II des billets de banque, version marchande des Halles, convoya vers le psychiatre une femme entrée la veille et qu'il n'avait pas encore examinée, zigzaguant sous les injections, sa chemise de nuit flottant autour du corps comme le spectre de Charlotte Brontë qui aurait vogué dans l'obscurité d'une vieille maison.

Le médecin lut sur le bulletin d'internement « schizophrénie paranoïde ; tentative de suicide », parcourut rapidement l'ordonnance du service d'urgence et chercha un bloc-notes dans son tiroir tandis qu'un soleil soudain se collait joyeusement aux vitres. En bas, dans la cour entre les bâtiments du 1er et du 6e pavillon des hommes, un Noir adossé à un arbre se masturbait frénétiquement, les pantalons sur les genoux, épié avec délectation par un groupe d'employés. Plus loin, près du 8e pavillon, deux individus en blouse blanche soulevaient le capot d'une Toyota pour examiner le fonctionnement de ses viscères orientaux. Ces gredins de Jaunes ont commencé par les cravates vendues à la sauvette,

1. Sousa Martins (1843-1897). Médecin et professeur, directeur de l'hôpital São José.

ils nous colonisent maintenant avec leurs radios et leurs automobiles, un de ces jours ils feront de nous les kamikazes de futurs Pearl Harbor ; assez rusés pour montrer leur museau aux Jéronimos[1] en été, en disant *banzai*, au moment où mariages et baptêmes se succèdent à un rythme trépidant de mitrailleuse mystique. La malade (quiconque entre ici pour distribuer des comprimés, prendre des comprimés ou examiner de façon nazaréenne les victimes des comprimés est malade, décréta le psychiatre en lui-même) pointa sous son nez ses orbites embrumées de pilules et articula avec une détermination tenace :

— Enfoiré.

La reine Maria II haussa les épaules afin d'arrondir les arêtes de l'insulte :

— Elle répète ça depuis qu'elle est arrivée. Docteur, si vous aviez assisté à la scène qu'elle a faite là-bas à sa famille, même vous, vous auriez fait le signe de croix. Elle nous a traités de tous les noms, de trois à sept lettres.

Le médecin écrivit sur son bloc-notes : enfoiré, trois, sept lettres, tira un trait en dessous comme s'il allait en faire l'addition et ajouta en majuscules MERDE. L'infirmière, qui se tenait à l'affût par-dessus son épaule, recula d'un pas : éducation catholique à l'épreuve des balles, supposa-t-il en la toisant. Éducation catholique à l'épreuve des balles et vierge par tradition familiale : sa mère devait être en train

1. Monastère construit au XVIe siècle, chef-d'œuvre gothique décoré dans le style manuélin.

de prier sainte Maria Goretti[1] quand elle l'avait conçue.

Chancelant à la limite du K.-O. chimique, Charlotte Brontë pointa vers la fenêtre un ongle dont le vernis se fendillait :

— As-tu déjà vu le soleil dehors, fumier ?

Le psychiatre gribouilla ENFOIRÉ + MERDE = SACRÉ MERDIER, arracha la feuille et la remit à l'infirmière :

— Vous comprenez ? demanda-t-il. J'ai appris cela avec mon premier professeur de couture et broderie, au passage on chuchote que c'est le meilleur clitoris de Lisbonne.

La femme se raidit d'indignation respectueuse :

— Vous êtes de très bonne humeur, mais j'ai d'autres médecins à aller voir.

L'homme lui adressa, dans un geste large, la bénédiction *urbi et orbi* telle qu'il l'avait vue un jour à la télévision :

— Allez en paix, dit-il lentement avec un accent italien. Ne perdez pas mon message papal et veillez à le faire lire à mes frères bien-aimés les évêques. *Sursum corda* et *Deo gratias* ou vice versa.

Il ferma soigneusement la porte derrière elle et se rassit derrière son bureau. Charlotte Brontë le jaugea d'un œil critique :

— Je n'ai pas encore décidé si tu es un enfoiré sympathique ou antipathique mais en tout cas tu es un enculé de ta mère.

Enculé de ta mère, médita-t-il, quelle expression adéquate. Avec sa langue il la retourna dans sa

1. Sainte vénérée par la petite bourgeoisie de Lisbonne.

bouche comme un caramel, en expérimenta la couleur et la saveur fade, recula dans le temps jusqu'à la retrouver écrite au crayon dans les toilettes du lycée au milieu de dessins explicatifs, d'invitations et de quatrains, et en même temps l'assaillait le souvenir écœurant des cigarettes clandestines achetées une à une à la Papeterie Académique à une déesse grecque qui balayait son comptoir avec l'opulence de ses seins, fixant sur lui des pupilles vides de statue. Une dame maigrichonne à la mine de subalterne remmaillait des bas dans un coin sombre, signalée par un panneau écrit au tire-ligne dans la vitrine (BAS FILÉS REMIS EN ÉTAT À LA PERFECTION ET RAPIDEMENT) un peu comme les écriteaux fixés aux grilles du jardin zoologique annoncent en latin les noms des animaux. Elle sentait de manière persistante le crayon bon marché et l'humidité, et les dames des environs, revenant du marché avec leurs courses enveloppées dans du papier journal, venaient se plaindre aux mamelles helléniques, en soupirant des murmures affligés, de leurs peines conjugales peuplées de manucures perverses et de Françaises de cabaret qui séduisaient leurs maris en pliant en quatre, au rythme aphrodisiaque de la *Valse de minuit*, la nudité savante de leurs hanches.

Le Noir qui se masturbait dans la cour commença à se livrer, pour l'édification du personnel, à des contorsions orgasmiques désordonnées de tuyau débridé. *L'Arroseur arrosé*[1]. Infatigable, Charlotte Brontë revint à la charge.

1. En français dans le texte.

— Hé connard, sais-tu à qui cela appartient ?

Et, après une pause destinée à laisser croître chez le médecin la panique scolaire de l'ignorance, elle se frappa le ventre d'une claque de propriétaire :

— À moi.

Ses yeux qui méprisaient le psychiatre se strièrent soudain de petits traits gradués de double décimètre :

— Je ne sais pas si je vous renvoie ou si je vous nomme directeur : ça dépend.

— Ça dépend ?

— Ça dépend de l'opinion de mon mari dompteur de lions en bronze style marquis de Pombal Sebastião de Melo[1]. Nous vendons des animaux dressés sous forme de statues, des retraités barbus en pierre pour jets d'eau et des soldats inconnus livrés à domicile.

L'homme avait cessé de l'écouter : son corps maintenait la courbe obséquieuse d'un point d'interrogation, en apparence attentif, d'un sous-officier en audience, son front, vers lequel tous les accidents géographiques de son visage convergeaient comme des passants devant un épileptique se tortillant sur la chaussée, se ridait d'un intérêt professionnel aseptisé, son stylo bille attendait l'ordre stupide d'un diagnostic définitif, mais sur la scène de sa cervelle se

1. Marquis de Pombal, Sebastião, José de Carvalho e Melo (1699-1782). Premier ministre du roi Joseph Ier, il gouverne despotiquement le Portugal pendant vingt-sept ans, lutte contre une partie de la noblesse et les Jésuites. On lui doit la reconstruction de Lisbonne après le tremblement de terre de 1755.

succédaient les images vertigineuses et confuses qui, pendant la matinée, prolongent le sommeil combattu par le goût de dentifrice sur la langue et la fausse fraîcheur publicitaire de l'après-rasage, indubitables signaux indiquant qu'il faut prendre à bras-le-corps, tout de suite, instinctivement, la réalité du quotidien, sans qu'il y ait la moindre place pour la cabriole d'un caprice : ses projets imaginaires de Zorro se dissolvaient toujours, avant de commencer à se réaliser, dans le Pinocchio mélancolique qui l'habitait, affichant l'hésitation du sourire peint sous la ligne résignée de sa vraie bouche. Le concierge, qui tous les jours le réveillait à coups de sonnette insistants, lui apparaissait comme un saint-bernard, un tonneau accroché à son cou, qui le sauvait *in extremis* d'une cauchemardesque tempête de neige. Et l'eau de la douche, en descendant le long de son dos, débarrassait sa peau de la sueur d'angoisse d'un désespoir tenace.

Depuis qu'il s'était séparé de sa femme, cinq mois auparavant, le médecin habitait seul dans un appartement décoré d'un matelas et d'un réveil muet immobilisé de naissance à sept heures du soir, malformation congénitale qui lui plaisait parce qu'il détestait les réveils dans la poitrine métallique desquels palpite le ressort tachycardique d'un petit cœur anxieux. Le balcon bondissait directement vers l'Atlantique par-dessus les roulettes du casino, où pullulaient de vieilles Américaines fatiguées de photographier des tombeaux baroques de rois, exhibant les taches de rousseur squelettiques de leurs décolletés avec la terrible audace de quakers renégates.

Étendu entre ses draps sans avoir baissé les persiennes, le psychiatre sentait ses pieds toucher le fond de la mer, différent du fond de la terre en raison de l'inquiétude rythmée qui l'agite. Les usines de Barreiro introduisaient dans le mauve de l'aurore la fumée musculeuse de leurs cheminées lointaines. Des mouettes sans boussole se heurtaient, stupéfaites, aux moineaux des platanes et aux hirondelles de porcelaine des façades. Une bouteille d'eau-de-vie éclairait la cuisine vide comme la lampe votive d'un bonheur de cirrhose. Ses vêtements éparpillés sur le plancher, le médecin apprenait que la solitude possède le goût rance de l'alcool bu au goulot, sans amis, appuyé sur le zinc de l'évier. Et il finissait par conclure, en remettant le bouchon d'une tape de la main, qu'il ressemblait au chameau remplissant sa bosse avant la traversée d'un long paysage de dunes, qu'il aurait préféré ne jamais connaître.

C'était dans ce genre de moments, lorsque la vie devenait désuète et fragile comme les bibelots que les grand-tantes répartissent dans de petits salons imprégnés d'une odeur composite de pipi de chat et de sirop fortifiant, et grâce auxquels elles refont la minuscule monumentalité d'un passé familial à la façon de Cuvier créant d'effrayants dinosaures à partir d'insignifiantes esquilles de phalangettes, que le souvenir de ses filles revenait à sa mémoire avec l'insistance d'une rengaine dont il ne réussissait pas à se débarrasser, attaché à lui comme du sparadrap à un doigt, et produisait dans son ventre le tumulte intestinal d'un bouillonnement d'entrailles où la nostalgie trouvait l'étrange échappatoire d'un message flatulent. Ses filles, et le remords de s'être esquivé un soir, la valise à la main, en descendant l'escalier de la maison où il avait habité durant si longtemps, prenant conscience, marche après marche, qu'il abandonnait beaucoup plus qu'une femme, deux enfants et un réseau compliqué de sentiments tempétueux mais agréables, patiemment mis de côté. Le divorce remplace aujourd'hui le rite initiatique de la première communion ; dans le hall, la certitude de se réveiller le lendemain sans la complicité des toasts du petit déjeuner partagé (à toi la mie, à moi la croûte) le terrorisa. Les yeux désolés de sa femme le poursuivaient jusqu'au bas de l'escalier ; ils s'éloignaient l'un de l'autre comme ils s'étaient rapprochés, treize ans auparavant, au cours de l'un de ces mois d'août balnéaires faits d'aspirations confuses et de baisers inquiets, dans la même ardeur tourbillonnante d'un reflux de marée. Son corps restait jeune et léger malgré ses accouchements, et son visage gardait intacts la pureté des os malaires et le nez parfait d'une adolescence triomphale : à côté de cette beauté svelte d'un Giacometti maquillé, il se sentait toujours maladroit et grossier dans son enveloppe qui commençait à jaunir sous un automne morose. À certains moments, il lui paraissait injuste de la toucher, comme si le contact de ses doigts éveillait en elle une souffrance sans raison. Et il se perdait entre ses genoux, suffoquant d'amour, balbutiant les mots tendres d'un dialecte inventé.

Quand me suis-je gouré ? se demanda le psychiatre pendant que Charlotte Brontë poursuivait, impassible, son discours de Lewis Carroll grandiose. Comme quelqu'un qui met, sans réfléchir, la main à sa poche en quête du pourboire d'une réponse, il plongea le bras dans le tiroir de son enfance, inépuisable bric-à-brac de surprises, thème sur lequel son existence ultérieure décalquait des variations d'une monotonie blafarde, et au hasard il ramena à la surface, très nette dans la conque de sa paume, l'image de lui-même tout petit, accroupi sur son pot de chambre devant le miroir de l'armoire dans laquelle les manches des vestes accrochées de profil comme des peintures égyptiennes faisaient proliférer les prince de Galles de son père en une abondance de lianes molles. Un gosse blond qui, alternativement, parle avec affectation et observe, pensa-t-il accordant un regard discret aux années révolues, voici un résumé raisonnable des chapitres antérieurs : on avait l'habitude de le laisser ainsi pendant des heures sur sa tasse de porcelaine de Sèvres émaillée où son pipi égrenait de timides gammes de harpe, échangeant avec lui-même les quatre ou cinq mots d'un vocabulaire monosyllabique complété d'onomatopées et de glapissements de sagouin abandonné, tandis qu'à l'étage en dessous l'aspirateur suçait de façon carnivore les franges comestibles des tapis avec sa trompe de fourmilier maniée par la femme du gardien chez qui les douleurs des calculs de la vésicule accentuaient l'aspect automnal. Quand me suis-je gouré ? demanda le médecin au gamin qui progressivement se dissolvait avec son bégaiement et son miroir pour céder la place à un adolescent timide, aux doigts tachés d'encre, posté à un coin de rue propice pour assister au passage indifférent et rieur des jeunes filles du lycée dont les socquettes le faisaient vibrer de désirs confus mais violemment noyés dans des tisanes au citron solitaires à la pâtisserie voisine, ruminant sur un cahier des sonnets à la Bocage[1] policés et censurés par le strict catéchisme des bonnes mœurs de ses tantes. Entre ces deux stades de larve débutante, se dressaient, évoquant une galerie de bustes en plâtre, des dimanches matin dans des musées déserts balisés par des portraits à l'huile d'hommes laids et de crachoirs puants, salles où toux et voix résonnaient comme dans les garages la nuit, des étés pluvieux de villes d'eaux plongées dans des brumes irréelles dont

1. Bocage, Manuel Maria Barbosa du (1765-1805). Poète portugais à la vie aventureuse, auteur d'œuvres lyriques et satiriques. Représentant du « parti français », c'est-à-dire des intellectuels qui espéraient que la France leur apporterait la Révolution.

émergeaient à grand-peine des silhouettes d'eucalyptus blessés, et surtout les airs d'opéra écoutés à la radio dans sa chambre d'enfant, duos d'insultes aiguës entre un soprano aux poumons de poissonnière et un ténor incapable de lui tenir tête qui finissait par la pendre perfidement dans le nœud coulant d'un interminable *do* de poitrine, conférant à la peur du noir la dimension du Petit Chaperon rouge dessiné par la baguette des violoncelles. Les grandes personnes possédaient à cette époque une indéniable autorité avalisée par leurs cigarettes et leurs infirmités, inquiétants valets et dames d'un terrible jeu de cartes dont on reconnaissait la place à table d'après la disposition des boîtes de médicaments ; séparé d'elles par la subtile manœuvre politique qui consistait à me faire prendre des bains à moi alors que je ne les voyais jamais nus, eux, le psychiatre se résignait à ce rôle de quasi-figurant qu'on lui attribuait, assis sur le plancher du salon, occupé par les jeux de cubes que l'on accorde aux vassaux pour leur divertissement, tout en souhaitant ardemment la grippe providentielle qui détournerait du journal vers lui l'attention cosmique de ces titans, transformée soudain en un empressement de thermomètres et de piqûres. Son père, précédé par l'odeur de brillantine et de tabac pour la pipe dont la combinaison représenta pour lui pendant de nombreuses années le symbole magique d'une virilité infaillible, entrait dans sa chambre en brandissant une seringue et, après lui avoir refroidi les fesses avec un blaireau de coton humide, il introduisait dans sa chair une sorte de douleur liquide qui se solidifiait en un caillou lancinant ; on le récompensait en lui offrant les petits flacons de pénicilline vides d'où s'exhalait un vestige de parfum thérapeutique, de même que, des greniers fermés, sourd, par les fissures de la porte, l'odeur de moisi et de lavande des passés défunts.

Mais lui, lui, LUI, quand s'était-il complètement planté ? Il feuilleta rapidement son enfance depuis le lointain mois de septembre où un forceps l'avait expulsé du paisible aquarium utérin, de la façon dont on arrache une dent saine d'une confortable gencive, s'attarda sur les longs mois passés dans la Beira, éclairés par le peignoir à ramages de sa grand-mère, les crépuscules sur la véranda avec vue sur la montagne, en train d'écouter le doux grésillement de la fièvre monotone des courtilières, les champs en pente traversés par des voies ferrées semblables à des veines saillantes sur le dos de la main, il sauta les pages ennuyeuses et sans dialogue traitant du décès de quelques vieilles cousines que leurs rhumatismes avaient courbées dans des révérences en forme de fer à cheval, au point qu'avec les fils de leurs cheveux blancs elles touchaient les tophus de goutte de leurs genoux, et il se préparait à explorer, sa loupe psychanalytique à la main, les angoissantes vicissitudes de ses débuts sexuels entre une bouteille de permanganate et un couvre-lit douteux qui conservait vivante, près de l'oreiller, l'empreinte de yeti de la semelle du client précédent, trop pressé pour se préoccuper du détail insignifiant d'enlever ses souliers ou suffisamment pudique pour garder ses chaussettes sur cet autel de blennorragies à taximètre, quand Charlotte Brontë le rappela à la réalité présente de cette matinée hospitalière en secouant des deux mains les revers de sa veste en même temps qu'elle entremêlait le gros fil de laine libertaire de *La Marseillaise* avec le crochet populaire du fado *Alexandrino* en maniant les aiguilles agiles d'un contralto inattendu. Le fond de sa bouche arrondie comme un anneau de serviette exhibait la larme tremblante de sa luette, se balançant tel un pendule au rythme de ses beuglements, ses paupières s'abattaient sur ses pupilles perspicaces à la manière de rideaux de théâtre qui seraient descendus par erreur au milieu d'un Brecht savamment ironique. Sous la peau de sa nuque, les cordes de Nylon des tendons s'étiraient d'effort et le médecin pensa que c'était comme si Fellini avait soudainement envahi un de ces beaux drames paralysés de Tchekhov dans lequel des mouettes aériennes dépérissent de chagrin contenu derrière la petite flamme vacillante d'un sourire, et, en outre, derrière la porte fermée, les aides-soignantes devaient commencer à être agitées d'obligeantes inquiétudes, l'imaginant pendu à l'élastique noir d'une jarretière. Satisfaite, Charlotte Brontë se jucha sur le trône de la table d'examen comme quelqu'un qui revient *de motu proprio* à l'orgueil intransigeant de l'exil.

— Grandissime enfoiré de merde, articula-t-elle sur un ton distrait de quinquagénaire qui bavarde avec ses amies en comptant les mailles de son tricot.

Le psychiatre se dépêcha de profiter de ces dispositions favorables pour s'échapper en douce vers le retranchement de la salle de pansements. Une infirmière qu'il aimait bien et dont l'amitié tranquille avait apaisé plus d'une fois les élans destructeurs du raz de marée de ses fureurs préparait paisiblement les médicaments du déjeuner en versant des comprimés identiques à des Smarties sur un plateau couvert de petits verres en plastique.

— Deolinda, l'informa-t-il, je suis en train de toucher le fond.

Elle hocha sa tête en bec de tortue bienveillante :

— Cette descente n'aura donc jamais de fin ?

Le médecin éleva ses boutons de manchette vers le plafond au plâtre écaillé dans une pathétique imploration biblique, espérant que sa théâtralité volontaire dissimulerait une partie de sa véritable souffrance :

— Pour votre bonheur et pour mon malheur, vous vous trouvez (observez-moi bien) devant le plus grand spéléologue de la dépression : huit mille mètres de profondeur océanique de tristesse, ténèbres d'eaux gélatineuses sans vie, à part quelques répugnants monstres sublunaires munis d'antennes, et tout cela sans bathyscaphe, sans scaphandre, sans oxygène, ce qui signifie, évidemment, que j'agonise.

— Pourquoi ne rentreriez-vous pas chez vous ? demanda l'infirmière qui possédait un sens pratique de l'existence et la certitude inébranlable que, même si la ligne droite n'est pas forcément le chemin le plus court entre deux points, c'est tout au moins le chemin conseillé pour délabyrinther les esprits tortueux.

Le psychiatre prit le combiné et demanda au standard d'appeler l'hôpital où l'un de ses amis travaillait : C'est le moment de me raccrocher à quelque chose, décida-t-il.

— Parce que je ne sais pas, parce que je ne peux pas, parce que je ne veux pas, parce que j'ai perdu ma clé, déclara-t-il à l'infirmière qui savait parfaitement qu'il mentait.

Je mens et elle sait que je mens et que je sais qu'elle sait que je mens et elle l'accepte sans colère ni sarcasme, constata le médecin. De loin en loin, nous avons la chance de tomber sur une personne comme elle, qui nous aime non pas malgré nos défauts mais avec eux, d'un amour à la fois impitoyable et fraternel, pureté de cristal de roche, aurore de mai, vermillon de Vélasquez.

— Écoutez, dit le médecin en bouchant le combiné avec sa manche, vous ne pouvez savoir combien je vous sais gré d'exister.

À cet instant, la voix de son ami lui parvint au téléphone, une toute petite voix qui articulait avec précaution :

— Allô ! (Et il imagina une pince délicate ramassant doucement quelque chose de fragile et précieux.)

— C'est moi, répondit-il rapidement parce qu'il sentit qu'il commençait à s'émouvoir. Je vais toucher le fond, le fond du fond, et j'aurais besoin de toi.

Dans le silence du récepteur il devina que son ami déroulait mentalement l'horaire de sa journée :

— Je peux décommander un déjeuner, annonça-t-il finalement, nous pourrions aller ensemble dans une de ces étables que tu fréquentes et, pendant le hamburger, tu déchargerais tes états d'âme.

— À une heure aux Galeries, décida le psychiatre en suivant des yeux l'infirmière qui sortait avec un plateau rempli de petits grains rouges, jaunes et bleus tremblotant dans leurs réceptacles de plastique. Et merci.

— À une heure, confirma son ami.

Le médecin posa le combiné très vite pour ne pas entendre le son de l'appareil lorsqu'on le raccroche, bruit pénible et inutile qui lui rappelait d'aigres discussions alimentées par le dépit et la jalousie. Il ajustait la cravate que Charlotte Brontë avait déplacée, à la recherche de la bissectrice des petits pointes du col, quand le Napoléon au dentier, faisant sonner des centaines de molaires, vint l'avertir qu'on l'appelait des Urgences. De la salle de bains d'en face, sortit en courant une jeune fille à moitié nue serrant dans ses bras une liasse de journaux déchirés :

— Il faut serrer la vis à Nelia, décréta le Corse aux mandibules démontables. Elle est insupportable. Elle vient de me dire à l'instant qu'elle voudrait voir mon sang couler à flots dans le couloir de l'infirmerie.

— Elle a les fesses pleines de nodules à force de piqûres, se défendit le médecin. Que puis-je lui faire d'autre ? D'ailleurs, madame, vous ne trouvez pas poétique cette idée que votre sang coule à flots ? Une fin à la César, que voudriez-vous de plus ?

Et il ajouta dans un murmure confidentiel :

— Que pense l'infirmière chef des morts violentes ? On donnera peut-être votre nom à une aile de l'hôpital : après tout, Miguel Bombarda[1] a bien été assassiné d'une balle de revolver.

1. Miguel Bombarda (1851-1910). Médecin psychiatre et professeur. A écrit sa thèse sur le délire de persécution. A travaillé à l'hôpital São José comme Sousa Martins et fondé avec lui la revue *Médecine contemporaine*. Assassiné dans son cabinet le jour où la révolution éclata.

De loin, Nélia leur adressa le geste le plus obscène de son répertoire élémentaire de collège de religieuses : quelques-uns des journaux lui tombèrent des mains, juste à côté d'une fille de salle qui cirait le plancher en conduisant une petite machine cousine d'une tondeuse à gazon schématique, qui dévora aussitôt les nouvelles avec un appétit ronronnant de boa, toussa trois ou quatre fois, hoqueta et s'immobilisa en heurtant le mur dans une agonie spectaculaire de King-Kong cinématographique. Napoléon se précipita vers elle en traînant ses pantoufles comme pour secourir son enfant malade : le psychiatre supposa que, désespérée, elle allait tenter la respiration bouche à trou, et leur tourna le dos, dégoûté par cet acte d'amour contre nature.

— Le robot à reluire est-il un bon coup au lit ? demanda-t-il à l'infirmière qui revenait sans ses Smarties, portant le plateau vide qui avait perdu le charme tremblotant des comprimés.

— Plus on connaît les hommes, plus on apprécie les appareils électroménagers, répondit-elle. Je vis maritalement avec une cuisinière à deux feux et nous sommes heureuses. Je regrette seulement que la bouteille de Butagaz ait un poumon d'acier.

— Où se trouvent les fous dans un asile de fous ? insista le médecin. Pourquoi traînons-nous ici, nous qui avons encore la permission de sortir tous les jours, alors qu'un bateau part pour l'Australie toutes les semaines et que certains boomerangs ne reviennent pas à leur point de départ ?

— Je suis trop vieille et vous trop jeune, expliqua l'infirmière. Et les boomerangs finissent toujours par revenir, même s'ils le font sur la pointe des pieds, la nuit, avec un petit sifflement penaud.

Revenir, pensa le psychiatre en répétant le mot avec la lenteur nonchalante d'un paysan qui roule pensivement son papier à cigarette dans l'après-midi d'un champ de blé, revenir, ouvrir la porte avec la simplicité littéraire du Doux Miracle et annoncer en souriant — Suis-je là ? Revenir comme un oncle d'Amérique, un fils du Brésil, un miraculé de Fatima, ses béquilles victorieuses sur le dos, encore illuminé par la vision d'une chiromancienne céleste se livrant à d'habiles stratagèmes bibliques sur la scène d'un chêne vert ? Revenir comme il était revenu de la guerre en Afrique, des années plus tôt, à six heures du matin, pour un mois de bonheur furtif dans une mansarde oblique, s'assurant dans le taxi, rue après rue, que rien n'avait changé pendant son absence, pays en noir et blanc de murs peints à la chaux et de veuves en grand deuil, de statues de régicides levant leurs bras de carbonari[1] sur des places fréquentées, à doses égales, par des retraités et des pigeons, les uns comme les autres ayant oublié le bonheur de voler ? La sensation d'avoir perdu sa clé bien qu'il la conservât dans la boîte à gants de sa voiture parmi des papiers tachés d'huile et des tubes de somnifères lui fit éprouver l'angoisse sans amarres de la solitude absolue : quelque chose qu'il ignorait et qui entravait ses gestes l'empêchait de faire le numéro situé en face de son nom dans l'annuaire

1. La révolution qui mit un terme à la monarchie en 1910 fut en partie l'œuvre des carbonari portugais.

téléphonique et d'appeler au secours la femme qu'il aimait et qui l'aimait. La cruauté de cette impuissance lui monta aux yeux dans un brouillard d'acide difficile à réprimer comme la turbulence d'un rot. À ce moment, les doigts de l'infirmière lui touchèrent légèrement le coude :

— Il arrive peut-être, dit-elle, que des boomerangs ne reviennent pas. Et ils réussissent tout de même à rester en l'air.

Et le psychiatre eut l'impression qu'il venait de recevoir une sorte d'extrême-onction définitive.

En descendant l'escalier vers les Urgences, il distingua au loin, près de la pénombre de sacristie à l'odeur de vernis à ongles du bureau des assistantes sociales, créatures laides et tristes ayant elles-mêmes besoin d'une assistance urgente, un groupe de visiteurs médicaux stratégiquement dissimulés dans l'embrasure des portes environnantes, prêts à prendre au dépourvu et à assaillir de torrents de paroles parfois létales les Esculapes passant à leur portée, innocentes victimes de leur sympathie contraignante. Le psychiatre les associait aux vendeurs de voitures à l'éloquence trop délicate et trop bien habillée, frères bâtards qui, à la suite d'un obscur accident de parcours chromosomique, avaient dévié de la lignée des phares à iode pour rallier les pommades contre le rhumatisme, sans pour autant perdre leur infatigable vivacité et leur sollicitude originelle. Il était sidéré que ces êtres, jaspineurs, complaisants, à cheval sur la bonne éducation, propriétaires de serviettes obèses qui contenaient le secret capable de transformer des bossus rachitiques en champions du triple saut, lui prodiguent en pagaille des attentions de Rois Mages, lui apportant les offrandes précieuses de calendriers de plastique édités par les préservatifs « Donald » contre la syphilis, l'ennemi public numéro un des poussées démographiques, doux au toucher et avec une couronne de petits poils aphrodisiaques à la base, de jeux d'échecs en carton vantant discrètement, sur toutes leurs cases, les mérites du sirop « Einstein » pour la mémoire (trois parfums : fraise, ananas et filet de bœuf), et des pastilles effervescentes qui verrouillaient les diarrhées mais lâchaient les rênes aux aigreurs, obligeant les malades des intestins à se soucier de leurs brûlures d'estomac, manœuvre de diversion grâce à laquelle ils bénéficiaient de quarts Vichy, bus à petites gorgées thérapeutiques aux comptoirs des pâtisseries. Les médecins sortaient de leurs pinces féroces en titubant sous le poids de brochures et d'échantillons, étourdis de discours parsemés de formules chimiques, de posologies et d'effets secondaires, et plusieurs d'entre eux s'écroulaient, épuisés, après avoir parcouru trente ou quarante mètres, éparpillant autour d'eux les postillons de pilules du dernier soupir. Un employé indifférent balayait leurs restes cliniques pour les verser dans la fosse commune d'une poubelle cabossée, en grommelant des ballades funèbres de fossoyeur.

Profitant de la protection de deux policiers qui escortaient un petit vieux digne au visage de clerc de notaire emmailloté dans les toiles confuses d'une camisole de force, le médecin traversa sans dommage le groupe menaçant des représentants en produits pharmaceutiques qui essayaient de le séduire avec le chant de sirènes de leurs sourires identiques, dépliés comme des accordéons sur leurs joues obséquieuses : un de ces jours, pensa-t-il, ils vont me noyer dans un flacon de suspension antibiotique « Amigdal », de même que mon père gardait dans l'armoire de la bibliothèque, je n'ai jamais compris pourquoi, le trophée de chasse du cadavre d'un scolopendre dans un flacon d'alcool, et ils me vendront à la Faculté, ratatiné comme un fœtus avorté, pour figurer dans la vitrine des horreurs de l'institut d'anatomie, boucherie scientifique mâtinée de train fantôme, en compagnie de squelettes suspendus à des crochets verticaux comme des œillets fanés appuyant leur découragement sur des tuteurs en bambou, se regardant les uns les autres avec des orbites vides d'officiers de réserve.

Protégé par les dames d'honneur du clerc de notaire, dont les moustaches tremblaient de timidité autoritaire, le psychiatre passa sain et sauf devant un interné alcoolique de sa connaissance qui, tous les matins, s'obstinait à lui raconter en détail d'interminables disputes conjugales dans lesquelles les arguments étaient remplacés par des batailles rangées de casseroles extrêmement animées (« Putain, mon gars, je lui ai collé une mandale sur le sommet de la caboche, cher docteur de mes fesses, au point qu'elle m'a craché de la brillantine pendant huit jours »), une dame maigre du secrétariat qui vivait dans la peur panique du sperme de son mari et avait l'habitude de l'interroger anxieusement à propos de l'efficacité comparative de deux cent vingt-sept contraceptifs différents, et un malade à la barbe biblique de Neptune de bassin qui nourrissait pour lui une admiration enthousiaste s'exprimant par des panégyriques vociférants, car tous étaient maintenus à une distance respectueuse par les duègnes de la camisole de force, chacune communiquant à l'oreille poilue de l'autre son haleine chargée d'ail. Il passa devant le cabinet du dentiste dépeupleur de gencives en train de lutter en glapissant contre une molaire rétive, et croyait déjà être miraculeusement arrivé intact aux Urgences, porte de verre dépoli qui lui faisait signe comme le drapeau de tissu que l'on agite à l'arrivée d'une course cycliste, quand un doigt pervers s'enfonça impérieusement entre ses omoplates, os saillants et triangulaires dont la forme attestait son passé d'ange dissimulant sous l'étoffe de sa veste ses origines divines avec la pudeur de la modestie, comme les gens bien nés rotent à la fin du repas pour faire une bénévole concession sociale à un monde de péquenots.

— Cher ami, interrogea une voix derrière lui, que pensez-vous de la conspiration des communistes ?

Les agents, occupés à convoyer le clerc de notaire avec des précautions de déménageurs transportant un piano bizarre qui jouait sans interruption la sonatine criblée des fausses notes de sa folie des grandeurs, abandonnèrent lâchement le médecin à côté des archives où habitait une dame myope, aux lunettes de l'épaisseur d'un presse-papiers, qui augmentaient la taille de ses yeux jusqu'à leur faire atteindre les proportions de gigantesques insectes velus entourés d'énormes pattes de cils, ils le laissèrent à la merci de ce collègue de petite taille à la dérive dans le lac de cheviotte de son pardessus, un chapeau tyrolien enfoncé sur la tête à la façon d'un bouchon dans un goulot, dans l'intention vaine d'empêcher la tempétueuse fuite des petites bulles gazéifiées de ses idées. Son collègue ramena à la surface l'hameçon de sa main et, au lieu d'appeler au secours, il s'accrocha à sa cravate comme un naufragé impatient enlaçant par erreur un serpent d'eau bleu à taches blanches qui se défaisait entre ses doigts avec une inertie molle de lacet. Le psychiatre pensa que, ce jour-là, tout le monde voulait lui enlever l'un des derniers cadeaux que sa femme lui avait faits, mue par le vain désir d'améliorer son aspect de fiancé de province congelé dans une posture compassée de photographie de foire : depuis son adolescence, il arborait, collé à l'asymétrie de ses traits, l'air factice et triste des défunts de la famille sur les albums de photos, aux sourires dilués par l'iode du temps. Mon amour, se dit-il en palpant sa cravate, je sais que cela ne soulagera ni n'aidera personne, mais de nous deux c'est moi qui n'ai pas su lutter : et lui vinrent en mémoire de longues nuits sur la plage défaite des draps, sa langue dessinant lentement des contours de seins que la première clarté de l'aurore illuminait d'un réseau de veines, le poète Robert Desnos agonisant du typhus dans un camp de prisonniers allemand et murmurant peut-être — C'est ma matinée la plus matinale —, la voix de John Cage répétant *Every something is an echo of nothing*, et la façon dont son corps s'ouvrait comme un coquillage pour le recevoir, vibrant telles les cimes des pins agitées par un vent invisible et tranquille. Son minuscule collègue, dont la plume du chapeau tyrolien oscillait à la façon de l'aiguille d'un compteur Geiger qui repère de l'uranium, l'obligea à s'immobiliser dans un coin de mur, crabe malade capturé par l'opiniâtreté d'une épuisette tenace. Ses membres tressautaient sous son pardessus en des mouvements browniens sans objectif défini, telles des mouches dans la tache de soleil d'une cave, ses manches se multipliaient en des gestes consternés d'orateur sacré :

— Ces types, les communistes, ils progressent, n'est-ce pas ?

La semaine précédente, le médecin l'avait vu chercher à croupetons des micros du KGB cachés sous son bureau, prêts à transmettre à Moscou les messages décisifs de ses diagnostics.

— Ils avancent, je vous le garantis, bêlait son collègue en tournoyant d'inquiétude. Et cette engeance, l'armée, le petit peuple, l'Église, personne ne se mouille, ils crèvent de trouille, ils collaborent, ils acceptent tout. En ce qui me concerne (et ma femme le sait), le premier qui entrera chez moi aura droit à un coup de fusil de chasse dans la tronche. Eh oui ! Vous avez déjà lu les affiches qu'ils ont collées dans le couloir avec le portrait de Karl Marx, le surdoué de l'économie, qui déverse ses favoris sur nos têtes ?

Et s'approchant davantage, confidentiel :

— Je parie que vous n'êtes pas contre eux, et si ça se trouve vous partagez les idées de ce tas de canailles, mais au moins vous vous lavez, vous êtes correct, votre père est professeur à la Faculté. Allez, dites-moi un peu : vous vous voyez en train de manger avec un menuisier ?

Pendant mon enfance, pensa le psychiatre, l'échelle sociale se divisait en trois catégories non miscibles et rigoureusement séparées : celle des bonnes, des jardiniers et des chauffeurs, qui déjeunaient à la cuisine et se levaient sur mon passage, celle des couturières et des gouvernantes, qui avaient droit à une table à part et à la considération d'une serviette en papier, et celle de la Famille, qui occupait la salle à manger et veillait chrétiennement sur ses moujiks (« le personnel », comme les appelait sa grand-mère), leur offrant des vêtements usés, des livrées, et s'intéressant distraitement à la santé de leurs enfants. Il y avait encore une quatrième espèce, celle des « créatures », qui englobait les coiffeuses, manucures, dactylos et belles-filles de sergents, qui rôdaient autour des hommes de la tribu en tissant autour d'eux une toile coupable d'œillades magnétiques. Les « créatures » ne se mariaient pas à l'Église : elles « se faisaient enregistrer[1] », n'allaient pas à la messe, ne se tourmentaient pas au sujet de l'immense problème de la conversion de la Russie ; elles consacraient leurs existences démoniaques à des plaisirs que je comprenais mal, dans des troisièmes étages sans ascenseur d'où mes oncles revenaient en cachette, tout joyeux de leur jeunesse retrouvée,

1. Jusqu'à la révolution de 1974, seuls les mariages à l'église étaient considérés comme valables dans les milieux catholiques. Les époux qui se mariaient seulement à la mairie n'étaient qu'« enregistrés ».

pendant que les femelles du clan, à l'église, allaient communier les yeux fermés et en tirant la langue, caméléons prêts à dévorer les moustiques des hosties avec une gourmandise mystique. De temps en temps, au milieu du repas, si le psychiatre, alors gamin, mastiquait la bouche ouverte ou posait ses coudes sur la nappe, son grand-père pointait sur lui un index définitif et prophétisait d'une voix caverneuse :

— Tu finiras dans les mains de la cuisinière comme le dindon.

Et le terrible silence qui s'ensuivait avalisait de son sceau blanc l'imminence de la catastrophe.

— Répondez-moi, lui ordonna son collègue. Vous vous voyez en train de manger à la même table qu'un menuisier ?

Le médecin revint vers lui avec l'effort de celui qui mettrait au point l'image d'un microscope déréglé : du haut d'une pyramide de préjugés, quarante générations de bourgeois le contemplaient.

— Pourquoi pas ? dit-il, défiant les messieurs à barbiche et les dames aux bustes bombés et façonnés au tour qui s'étaient laborieusement croisés entre eux, dans un crochet complexe, embarrassés par leurs bretelles et les baleines de leurs corsets, pour produire, au bout d'un siècle de devoirs conjugaux, un descendant capable de révoltes aussi impensables, par exemple, que celle d'un dentier qui sauterait du verre d'eau dans lequel il sourit la nuit pour mordre son propriétaire.

Son collègue recula de deux pas, sidéré :

— Pourquoi pas ? Pourquoi pas ? Alors, vous êtes

un anarchiste, un marginal, vous pactisez avec l'Est, vous approuvez que l'on abandonne nos provinces d'outremer aux Noirs.

Que sait ce type de l'Afrique, se demanda le psychiatre pendant que l'autre, boulangère d'Aljubarrota[1] du patriotisme à la sauce légionnaire, s'éloignait en poussant de petits cris indignés et en promettant de lui réserver un réverbère de l'avenue, que sait ce quinquagénaire imbécile au sujet de la guerre en Afrique où il n'est pas mort et n'a vu personne mourir, que sait ce crétin des administrateurs de brousse qui enfonçaient des glaçons dans l'anus des Noirs qui leur déplaisaient, que sait ce couillon de l'angoisse de devoir choisir entre le dépaysement de l'exil et l'absurde stupidité des tirs sans justification, que sait cet animal des bombes au napalm, des jeunes filles enceintes passées à tabac par la PIDE[2], des mines qui fleurissent en champignons de feu sous les roues des camionnettes, de la nostalgie, de la peur, de la fureur, de la solitude, du désespoir ? Comme chaque fois qu'il pensait à l'Angola, une cohorte de souvenirs en désordre lui monta des tripes à la tête avec la véhémence des larmes contenues : dans le détachement où il se trouvait, la naissance de sa fille aînée annoncée, syllabe par syllabe, par la radio, première petite pomme d'or de son sperme, les longues nuits

1. Au cours de la bataille d'Aljubarrota, une robuste boulangère devint une héroïne nationale en repoussant les Espagnols à l'aide de sa pelle à pain.

2. PIDE (police internationale de défense de l'État) : police secrète du régime salazariste.

blanches passées à l'infirmerie improvisée penché sur les blessés en train d'agoniser, et puis franchir la porte, épuisé, laisser le fourrier finir de recoudre les tissus et trouver au-dehors une soudaine profusion d'étoiles inconnues, tandis que sa voix répétait à l'intérieur de lui-même — Ce n'est pas mon pays, ce n'est pas mon pays, ce n'est pas mon pays, l'arrivée le mercredi de l'avion du courrier et de la nourriture fraîche, la subtile patience et l'infinie sagesse des Luchaz[1], la sueur du paludisme entourant les reins d'une ceinture d'humidité poisseuse, sa femme venue de Lisbonne avec leur bébé aux surprenants iris verts pour partir avec lui vers la brousse, sa bouche qui aurait pu être celle d'une mulâtresse souriant, comestible, sur l'oreiller. Noms magiques : Quito-Quanavale, Zemza do Itombe, Narriquinha, la Baixa do Cassanje couverte par les hauts cils des tournesols dans des matins propres comme des os de lumière, les Bailundos[2] violemment repoussés à coups de pied vers les plantations du nord, São Paulo de Luanda imitant le quartier d'Areeiro appuyé à la valve de la baie. Que sait ce débile de l'Afrique ? se demanda le psychiatre, au-delà des arguments cyniques, imbéciles et obstinés de l'Action nationale populaire[3] et des dis-

1. Ethnie angolaise, venue jadis d'Éthiopie, dont les tribus faisaient partie du MPLA pendant la guerre contre les Portugais.

2. Ethnie d'Angola habitant le plateau de Benguela.

3. Parti de Marcelo Caetano, successeur de Salazar, détenant la totalité des sièges à l'Assemblée nationale avant la révolution du 25 avril.

cours de séminaire des bottes mentales[1] de Salazar, vierge sans utérus déguisée en homme, fils de deux chanoines m'expliqua un jour une malade, que sais-je moi qui durant vingt-sept mois ai vécu au milieu d'angoissants fils de fer barbelés pour le compte des multinationales, qui ai vu ma femme mourant presque du *plasmodium falciparum*[2], qui ai assisté au nonchalant écoulement du Dondo, qui ai fait une fille dans la Malanje des diamants, ai contourné les collines nues de Dala-Samba peuplées seulement au sommet par les touffes de palmiers des tombes des rois Gingas, qui suis parti et revenu avec sur mon corps l'écorce d'un uniforme imposé, que sais-je de l'Afrique ? L'image de sa femme, l'attendant parmi les manguiers de Marimba remplis de chauves-souris guettant le crépuscule, lui apparut dans une rafale de nostalgie violemment physique comme un viscère qui éclate. Je t'aime tellement que je ne sais pas t'aimer, j'aime tellement ton corps et ce qui en toi n'est pas ton corps que je ne comprends pas pourquoi nous nous sommes perdus si à chaque pas je te rencontre, si chaque fois que je t'ai embrassée j'ai embrassé plus que la chair dont tu es faite, si notre mariage est mort de jeunesse comme d'autres meurent de vieillesse, si après toi ma solitude s'emplit de ton odeur, de l'enthousiasme de tes pro-

1. Salazar étant né dans la Beira, région montagneuse, on disait qu'il n'avait jamais enlevé ses bottes, c'est-à-dire qu'il avait gardé une mentalité de paysan avare et borné.

2. *Plasmodium falciparum* ou *praecox* : parasite redoutable responsable de 90 % des décès des paludéens.

jets et de la rondeur de tes fesses, si je suffoque d'une tendresse que je ne réussis pas à exprimer, ici en ce moment, mon amour, je te dis adieu et je t'appelle en sachant que tu ne viendras pas et en désirant que tu viennes, de la même façon que, comme dit Molero[1], un aveugle attend les yeux qu'il a commandés par la poste.

1. Allusion à *Ce que dit Molero*, titre d'un livre de Dinis Machado, écrivain contemporain.

Aux Urgences, les internés en pyjama semblaient flotter dans la clarté des fenêtres comme des voyageurs sous-marins entre deux eaux, aux gestes ralentis par le poids de tonnes de médicaments. Une vieille dame en chemise de nuit, ressemblant aux derniers autoportraits de Rembrandt, voguait dix centimètres au-dessus de son banc, semblable à un oiseau éclopé qui serait en train de perdre l'écume de vent de ses os. Des ivrognes ensommeillés que la gnôle avait transformés en séraphins dépenaillés s'entrechoquaient dans l'air : toutes les nuits, la police, les pompiers ou l'indignation des familles venaient abandonner ici, comme dans une ultime décharge publique, ceux qui tentaient en vain de bloquer les engrenages du monde en mettant en pièces le mobilier quouinane[1] de leur chambre, découvrant d'étranges bêtes invisibles tapies sur les murs, menaçant leurs voisins avec le couteau à

1. Style de mobilier anglais (Queen Anne) du début du XVIIIe siècle dont les copies sont encore appréciées par la petite bourgeoisie lisboète.

pain ou entendant l'imperceptible sifflement de Martiens qui, peu à peu, s'habillent en collègues de bureau pour révéler aux autres galaxies l'arrivée imminente de l'Antéchrist. Il y avait aussi ceux qui se présentaient spontanément, blafards et affamés, offrant leur fesse à la seringue en échange d'un lit où dormir, habitués que le concierge renvoyait, tendant un bras impérieux comme la statue du maréchal Saldanha[1] vers les arbres du Campo de Santana que l'obscurité confondait en un brouillard de corps enlacés. Ici, pensa le médecin, vient se déverser l'ultime misère, la solitude absolue, ce que nous ne pouvons plus supporter de nous-mêmes, nos sentiments les plus cachés et les plus honteux, ce que nous appelons folie et qui en fin de compte est notre folie et dont nous nous protégeons en l'étiquetant, en la compressant entre des grilles, en la bourrant de comprimés et de gouttes pour qu'elle continue à exister, en lui accordant une permission de sortie à la fin de la semaine et en la conduisant vers une « normalité » qui probablement consiste seulement à empailler les gens vivants. Quand on dit, réfléchit-il les mains dans les poches, en observant les séraphins du tord-boyaux, que les psychiatres sont fous, on touche sans le savoir le centre de la vérité : dans aucune autre spécialité on ne rencontre autant d'êtres ayant le crâne aussi en tire-bouchon, qui se soignent eux-mêmes en impo-

1. Saldanha, João d'Oliveira e Daun, duc de (1790-1876). Homme politique, auteur de coups d'État, il dirigea le gouvernement libéral à plusieurs reprises. Sa statue le représente debout, le bras tendu vers l'océan.

sant, par la persuasion ou par la force, des cures de sommeil à ceux qui viennent les trouver pour se retrouver et traînent de cabinet de consultation en cabinet de consultation l'angoisse de leur tristesse, comme un boiteux transporte sa jambe infirme de rebouteux en rebouteux, en quête d'un miracle impossible. Affubler les gens de diagnostics, les entendre sans les écouter, rester en dehors d'eux comme sur la rive d'un fleuve dont on ne connaît ni les courants, ni les poissons, ni la cavité rocheuse où il naît, assister au tourbillon de la crue sans se mouiller les pieds, recommander un comprimé après chaque repas et une pilule le soir et être satisfait après cette bonne action digne d'un scout : qu'est-ce qui me fait appartenir à ce club sinistre, médita-t-il, et éprouver quotidiennement des remords à cause de la faiblesse de mes protestations et de mon anticonformisme conformiste, et jusqu'à quel point la certitude que la révolution se fait avant tout à l'intérieur de soi-même ne sert-elle pas d'excuse, d'autoviatique pour continuer à capituler ? Il s'agissait de questions auxquelles il ne pouvait répondre clairement et elles le laissaient troublé et tourmenté, hérissé d'interrogations, de doutes, de scrupules : la première fois qu'il était entré là, au début de son internat, et qu'on lui avait fait visiter l'édifice décrépit et hideux de l'hôpital dont jusqu'alors il ne connaissait que la cour et la façade, il s'était cru dans une grande maison de province habitée par les fantômes de Fellini : étançonnés par des murs d'où suintait une humidité poisseuse, des débiles mentaux presque nus se masturbaient en se balançant et en tournant vers lui l'étonnement édenté de leurs bouches ; des hommes au crâne rasé étaient étendus au soleil, mendiaient ou allumaient des cigarettes roulées dans des morceaux de papier journal noircis par leur salive ; des vieillards pourrissaient sur leurs matelas pourris, vides de mots, creux d'idées, végétaux tremblants qui ne faisaient que subsister ; et il y avait l'arène du 8e pavillon et les individus retenus par des fers, singes apathiques remâchant des phrases incohérentes, qui échouaient au petit bonheur dans les trous d'étable où ils dormaient. Et me voici, se dit le médecin, collaborant sans collaborer à la continuation de tout ça, à l'effrayante machine malade de la santé mentale qui triture dans l'œuf les petits germes de liberté qui naissent en nous sous la forme maladroite d'une protestation inquiète, pactisant par mon silence, le salaire que je reçois, la carrière que l'on m'offre : comment résister de l'intérieur, presque sans aucune aide, à l'inertie efficace et molle de la psychiatrie institutionnelle, qui a inventé la grande ligne blanche séparant la « normalité » de la « folie » à travers un réseau complexe et artificiel de symptômes, de la psychiatrie comme aliénation grossière, comme vengeance des castrés contre le pénis qui leur manque, comme arme réelle de la bourgeoisie à laquelle j'appartiens de naissance et qu'il devient si difficile de renier, hésitant comme j'hésite entre l'immobilisme confortable et la révolte difficile, dont le prix se paie cher parce que, si je n'avais pas de parents, qui voudrait m'adopter à l'Assistance publique ? Le parti me propose de substituer une foi à une autre foi, une mythologie à une autre mythologie, et arrivé à ce point je me souviens toujours de la phrase de la mère de Blondin, « Je n'ai pas la Foi mais j'ai tellement d'Espérance », et au dernier moment je fais une embardée à gauche dans l'attente anxieuse de rencontrer des frères qui puissent m'aider et à qui je puisse être utile, pour eux, pour moi et pour le reste. Et c'est le reste, ce que l'on ne détaille pas par pudeur, qui est important, comme une sorte de pari, de quitte ou double d'une chance sur trois cents, de croire à Blanche-Neige et de voir surgir sous les meubles d'authentiques petits nains qui nous démontreraient que c'est encore possible. Possible ici et au-dehors car les murs de l'hôpital sont concentriques et embrassent le pays tout entier jusqu'à la mer, au Cais das Colunas et à ses vagues domestiquées de fleuve à la portugaise, maître de douces furies reflétant la couleur du ciel et taché par l'ombre graisseuse des nuages, mon remords l'appelle le poète, mon remords de nous tous.

Murs concentriques, répéta-t-il, labyrinthe de maisons et de rues, descente abrupte et embarrassée de femme aux talons hauts vers l'étendue horizontale de la barre, murs tellement concentriques qu'en fait on ne part jamais et que même des racines de crochet poussent dans la moquette du plancher, Crète à *azulejos* habitée par des perroquets aux fenêtres et des Chinois à cravate, des bustes de régicides héroïques, des pigeons gras et des chats castrés, où le lyrisme se déguise en canari poussant de petits trilles de sonnets à usage domestique dans une cage d'osier. L'*Almanach de la Librairie Bertrand* remplace la Bible, les animaux favoris sont des Bambis chromés et des petits chiens de porcelaine qui font signe que oui, les funérailles forment le ciment consistant de la famille.

Il palpa de nouveau sa cravate, en vérifia le nœud ; mes cheveux de Samson en soie naturelle, murmura-t-il sans sourire. Un jour j'achèterai un chapelet *freak* et un jeu de bracelets indiens et me créerai un Katmandou pour moi tout seul où Rabindranath Tagore et Jack Kerouac joueront à la belote avec le dalaï-lama. Il fit quelques pas vers les cabinets de consultation et vit le clerc de notaire à la camisole de force assis devant un bureau en train d'expliquer à un médecin invisible qu'on lui avait volé la Voie lactée. Les flics, debout, se penchaient du parapet de leurs ceinturons pour mieux entendre, comme des voisines assistant de leur balcon à une scène de rue. L'un d'eux, calepin au poing, prenait des notes en tirant la langue avec une application infantile. La vieille qui lévitait sur le banc le croisa en planant avec une ostentation de perdrix épuisée : elle sentait l'urine stagnante, la solitude et l'abandon sans savonnette. Les odeurs de la misère, jugea le médecin, les odeurs monotones, merdeuses et tragiques de la faim et de la misère. Dans la salle de soins, appuyés contre le brancard, le chariot des pansements ou l'armoire vitrée des médicaments, les infirmiers discutaient des curieuses péripéties de la dernière assemblée générale des travailleurs, durant laquelle le coiffeur et l'un des chauffeurs s'étaient réciproquement traités de fils de pute, de bigleux et d'enculé de fasciste. L'un d'eux, la seringue chargée, s'apprêtait à faire une piqûre à un alcoolique : vétéran de ce genre de situation, celui-ci tenait son pantalon à la hauteur des genoux et attendait patiemment, la physionomie méprisante. Ses jambes très maigres disparaissaient sous les franges de poils grisonnants qui entouraient ses testicules vides, pendants, et le haillon de peau chiffonnée de son pénis. Une clarté méditerranéenne auréolait les grilles du balcon comme si tout baignait dans un aquarium illuminé par la lampe très intense d'un printemps irréel.

— Révérentes dames et nobles messieurs, jeunes filles et jeunes gens, respectable public, bonjour, dit le psychiatre. Il m'est revenu aux oreilles que vous avez téléphoné là-haut, inquiets comme de bonnes mères que vous êtes, pour requérir les services fort utiles d'un fossoyeur. Je suis l'employé de l'agence funéraire « Les meilleures pompes funèbres d'Ajuda » (cierges, bougies et cercueils) et je viens prendre les mesures pour la bière : j'espère, parce que je suis syndiqué et que je hais mes patrons, que le défunt a ressuscité et s'est écrié « Vive saint Louis de Gonzague ».

L'infirmier à la seringue, avec lequel il avait l'habitude de grignoter, quand ils étaient de garde la nuit, des crevettes minables que le garçon de bureau achetait dans une brasserie de la place Martim-Moniz, planta la banderille thérapeutique dans la fesse de l'alcoolique pour apaiser ses humeurs momentanément tranquilles de marée qui se prépare à un petit grain subit, et il y passa un morceau de coton solennel d'évêque donnant le sacrement de la confirmation, comme un bon élève efface du tableau le résultat d'un exercice trop facile pour ses capacités acrobatiques. Le malade tira le cordon de sa ceinture vers le haut si violemment qu'il se déchira et il resta à contempler d'un œil stupéfait le morceau qui lui tombait de la main, étonné tel un astronaute qui regarde une algue lunaire.

— Tu as abîmé les macaronis du déjeuner, applaudit l'infirmier dont la réserve de tendresse se cachait sous un sarcasme trop évident pour être sincère. Le médecin avait appris à l'estimer en observant le courage qu'il déployait pour combattre, avec les moyens à sa portée, l'inhumaine machine concentrationnaire de l'hôpital. L'infirmier lava la seringue en actionnant plusieurs fois le piston, la plaça dans le stérilisateur chauffé par l'étroite tulipe bleue du bec de gaz et se sécha les mains en décrochant la serviette trouée pendue au gibet d'un clou : il faisait tout cela avec des gestes lents et méthodiques de pêcheur pour qui le temps ne se divise pas en heures, comme une règle en centimètres, mais possède la texture continue qui confère à la vie une intensité et une profondeur inespérées. Il était né au bord de la mer, en Algarve, et les vents maures avaient bercé la faim de son enfance, près d'Albufeira, là où le reflux laisse sur la plage de douces odeurs de diabétique. L'alcoolique, l'air absent, sortit vers le couloir en traînant ses espadrilles informes.

— Anibal, dit le psychiatre à l'infirmier qui cherchait ses allumettes dans les poches de sa blouse à la façon d'un chien furetant pour trouver l'endroit où il a enterré un os précieux, tu as téléphoné là-haut en me promettant que, si je venais ici, tu me donnerais une sucette à la fraise. J'étais en rogne contre toi parce que je n'aime que celles à la menthe.

L'infirmier finit par trouver les allumettes sous la pile de circulaires entassées sur une table en bois blanc dont la peinture s'effritait en plaques poudreuses de pellicules :

— Nous avons ici un trio d'emmerdeurs de première, dit-il en frottant l'allumette sur la boîte avec une colère inaccoutumée. La Sainte Famille qui veut enfiler en levrette le Petit Jésus. La salope de mère à elle seule mériterait une bonne dérouillée. Accroche-toi à la rampe car ils t'attendent tous les trois dans le cabinet du fond.

Le médecin examina un calendrier mural pétrifié dans un très vieux mois de mars, alors qu'il habitait encore avec sa femme et ses filles et qu'un voile d'allégresse teintait légèrement chaque seconde ; chaque fois qu'on l'appelait aux Urgences, il rendait visite à ce mois de mars dans une sorte de pèlerinage désenchanté, et cherchait en vain à reconstruire les journées dont il conservait un souvenir de bonheur diffus, dilué dans un sentiment uniforme de bien-être doré par la lumière oblique des espérances mortes. En se retournant, il remarqua que l'infirmier observait également le calendrier où une jeune fille blonde et un Noir très gros, tous deux nus, se livraient à des acrobaties compliquées.

— La femme ou le mois ? lui demanda le psychiatre.

— Quelle femme et quel mois ? répondit l'infirmier.

— Ce vers quoi tu pointes tes phares, précisa le psychiatre.

— Ni l'un ni l'autre, expliqua l'infirmier. Je pensais seulement à ce que nous faisons ici. Sérieusement. Peut-être viendra-t-il un temps où ce cirque changera et où l'on pourra regarder les choses avec des yeux neufs. Où les tailleurs ne seront pas obligés par décret de cacher les couilles d'un homme dans la largeur des pantalons.

Et avec un activisme féroce il se mit à nettoyer des seringues déjà lavées.

Tu es vraiment un de ces enfoirés de l'Algarve, pensa le médecin, tu ressembles à un poète néo-réaliste qui croit changer le monde en écrivant des vers cachés dans son tiroir. Ou alors tu es un paysan qui connaît bien son petit bras de fleuve et attend le crépuscule pour pêcher au lamparo, sa lanterne cachée entre les filets de sa barque. Et il se souvint de Praia da Rocha en août, à l'époque où il s'était marié, des rochers sculptés par les Henry Moore des marées successives, de l'étendue de sable sans empreintes de pas et de la façon dont sa femme et lui s'étaient sentis des Robinson Crusoé malgré les touristes allemands cubiques, les Anglaises androgynes comme des sopranos castrés, les vieilles Américaines coiffées de chapeaux incroyables et malgré les lunettes aux verres fumés des dragueurs nationaux, *latin lovers* portant un peigne en plastique dans la poche arrière de leurs pantalons, et rôdant autour des fesses féminines avec des mines de hyènes.

— Mon vieux, lui dit l'infirmier, peut-être que nous vivrons jusqu'à ce que ce jour arrive. Mais si nous attendons le cul par terre, alors on sera foutus tous les deux.

Il se dirigea vers le cagibi du fond avec la sensation d'avoir été injuste envers l'autre et l'espoir que celui-ci comprendrait qu'il avait seulement attaqué la partie passive de lui-même, la fraction de lui-même qui acceptait les choses sans lutter et contre laquelle il se révoltait. Est-ce que je m'aime ou est-ce que je ne m'aime pas, pensa-t-il, jusqu'à quel point est-ce que je m'accepte et où commence en fait la censure de ma révolte ? Les flics, à présent dehors, avaient enlevé leurs casquettes et apparaissaient soudain nus et inoffensifs aux yeux du psychiatre. L'un d'entre eux portait dans ses bras la camisole de force du clerc de notaire, la serrant contre sa poitrine comme quelqu'un qui tient le manteau de son neveu à l'entrée d'un cours de gymnastique.

Dans le cabinet, la Famille se préparait à l'assaut. Le Père et la Mère, debout, encadraient la chaise de leur fils avec l'hostilité immobile de chiens de pierre des deux côtés d'un portail, prêts à aboyer des récriminations furieuses. Le médecin contourna le bureau en silence et tira vers lui le cendrier de verre, le bloc de papier à en-tête de l'hôpital, la lettre[1] de la Sécurité sociale et le registre d'inscription des malades, comme un joueur d'échecs préparant les pièces avant le début de la partie. L'Enfant Jésus, un rouquin à l'air inquiet, feignait bravement de ne pas s'apercevoir de sa présence en fixant les immeubles tristes de l'avenue Gomes Freire par la fenêtre ouverte, tout en plissant ses paupières parsemées de taches de rousseur transparentes.

— Alors, que se passe-t-il ? demanda avec jovia-

1. Au Portugal, les malades obtiennent du centre de Sécurité sociale dont ils dépendent une lettre leur recommandant d'aller voir tel ou tel médecin.

lité le médecin qui sentit sa question comme le coup de sifflet d'un arbitre donnant le départ d'une partie sanglante.

Si je ne prends pas la défense de ce garçon, pensa-t-il très vite en glissant un regard de biais vers le jeune homme en proie à une panique encore contrôlée, ils vont le déchirer en deux coups de dents. Génération du *cogitus interruptus*, pensa-t-il. Quelle chienlit qu'Umberto Eco ne soit pas là pour m'aider !

Le père bomba le torse sous sa chemise :

— Docteur, dit-il avec l'emphase d'une déclaration de guerre, sachez que ce petit con se drogue.

Et il frictionnait ses mains obséquieuses l'une contre l'autre comme s'il se trouvait en audience avec son chef de bureau. Sur son petit doigt à l'ongle long, au côté de l'alliance, il portait une énorme bague ornée d'une pierre noire, et sur sa cravate aux ramages dorés était plantée une épingle de corail représentant un footballeur de Bélem qui donnait un coup de pied dans un petit ballon en or. Il ressemblait à une voiture munie de nombreux accessoires, couvertures sur les sièges, pendeloques, bande de couleur sur le capot et le nom de To Zé peint sur la portière. Selon la lettre de la Sécurité sociale, il était fonctionnaire de la Compagnie des Eaux (un employé qui se lave, au moins, décida le psychiatre) et son haleine sentait la soupe au poisson et à l'ail de la veille.

Il serait grand temps de changer la couleur des fichiers, estima rêveusement le médecin en désignant trois parallélépipèdes de métal dont l'horrible masse verdâtre occupait l'espace compris entre la porte et la fenêtre.

— Un vert comme ça foutrait les boules même à un amiral, tu ne trouves pas ? demanda-t-il au gamin qui demeurait fasciné par les merveilles de l'avenue Gomes-Freire, mais dont les lèvres tremblaient comme le ventre d'un moineau effrayé.

Joue les frimeurs, lui conseilla mentalement le médecin, joue les frimeurs parce que tu es un gars fragile, un jeune bouvillon, et que la corrida n'a pas encore commencé. Et dans un roque stratégique, il fit passer le cendrier à la place du registre des entrées, en murmurant, Dona Alzira, gare à vos miches, l'escadre de l'OTAN arrive.

À cet instant il entendit un boucan imprévu sur le buvard du bureau : sous son nez surpris, la mère vidait le contenu d'un sac de papier plein de boîtes de médicaments et penchait vers lui son corps vêtu d'une veste en léopard synthétique, tendue par une indignation furibonde. Les phrases sortaient de sa bouche comme les haricots-balles du canon en fer-blanc que l'on avait offert au psychiatre quand il était petit, à l'occasion d'une de ses nombreuses angines :

— Mon fils doit être im-mé-dia-te-ment interné, ordonna-t-elle d'un ton de pion de maison de correction s'adressant cosmiquement au dérèglement moral de l'univers. Des comprimés, on ne voit que ça à la maison, il me redouble sa troisième, manque de respect à ses parents, répond de travers quand il répond, la voisine du dessous m'a raconté qu'on l'a vu sur la place du Rato avec une femme douteuse, je ne sais pas si je m'explique bien, qui veut comprendre me comprendra. Et tout ça à seize ans, docteur, il les a eus au mois d'avril, docteur, il est né par césarienne, il s'en est fallu d'un poil que j'en crève, au point qu'on a dû me donner du sérum, notez-le. Et nous de l'élever comme un prince, de dépenser de l'argent, de lui acheter des livres, de lui parler avec des mots gentils, tandis que lui, il se fiche pas mal de nous. Alors avouez : vous êtes d'accord ? Et en plus, docteur, vous qui avez peut-être des enfants, vous lui posez des questions sur la couleur des fichiers !

Pause pour gonfler les bouées de ses seins entre lesquels se logeait un cœur d'émail contenant la photographie de son subalterne de mari en plus jeune mais déjà attifé d'une profusion d'amulettes, et nouveau plongeon dans les eaux fumantes de la colère :

— Quelques semaines d'hôpital, c'est ce qu'il lui faut pour revenir dans le droit chemin : j'ai eu une belle-sœur dans le 3e pavillon, je connais vos méthodes. Quelques semaines sans sortir, sans rencontrer les membres de sa bande, sans pharmacie à portée de la main pour voler des comprimés. C'est vraiment une honte que personne ne mette un terme à tout cela : depuis que Salazar est mort, nous allons de catastrophe en catastrophe.

Le médecin se rappela le soir où, de nombreuses années plus tôt, en rentrant d'un dîner chez une tante, ils avaient trouvé dans le bureau de son père un agent de la PIDE en train d'attendre son frère qui présidait la Corpo de droit, et il se souvint de la répulsion, de la peur que l'homme avait fait naître en eux, alors qu'il observait avec un sans-gêne de propriétaire le dos des traités de neurologie de son père absent. Seul son frère cadet regardait le mouchard sans haine, stupéfait de voir profané avec arrogance ce sanctuaire de pipes où l'on entrait en ayant conscience de l'importance presque sacrée du lieu, et il tournait avec admiration autour de l'apostat, reniflant ses gestes. Soudain, le médecin eut envie d'attraper la tête teinte en blond de cette Notre-Dame au petit pied et de la frapper de nombreuses fois, sans se presser, délibérément, contre le coin du lavabo à sa gauche, sous le miroir oblique qui, vu du bureau, reflétait un morceau gris et aveugle de mur, comme si la surface hexagonale, qui si souvent lui avait renvoyé sa propre image, avait été victime d'une sorte de cataracte : cela l'étonnait de ne pas trouver, collée à la pupille de verre étamé, la courbe interrogatrice de son sourire de chat du Chester.

— Un hôpital ou une prison, dit le mari de la harpie d'une voix solennelle, caressant sa monstrueuse épingle de cravate, parce que nous ne pouvons plus nous en charger.

Balayant ses paroles inutiles, sa femme agita son poignet comme une vendeuse de marrons son éventail de paille : c'était elle qui conduisait les opérations et elle refusait de partager le commandement. Petite-fille de brigadier de la garde républicaine, pensa le psychiatre, héritière morale du sabre avec lequel son ancêtre dérouillait le peuple.

— Je regrette, docteur, mais vous devez résoudre ce problème, et tout de suite, dit-elle en hérissant le poil postiche de sa veste. Faites-moi le plaisir de le garder ici, je n'en veux plus chez moi.

Le gosse ébaucha un mouvement qu'elle coupa tout net, pointant vers lui un doigt furibond :

— Ne m'interromps pas, imbécile, je parle au docteur !

Et s'adressant au psychiatre, définitive :

— Résolvez les choses comme vous l'entendez mais nous ne sortirons pas d'ici avec lui.

Le médecin avança le pion d'une agrafeuse sur l'échiquier du bureau. Des tableaux de tour de garde, certains portant son nom (imprimé, notre nom ne nous appartient plus, pensa-t-il, il devient impersonnel et étranger, perd l'intimité familière de l'écriture à la main), empalés sur des clous qui s'oxydaient, décoraient les murs.

— Allez lâcher un peu de vapeur dehors pendant que je parle à votre fils, dit-il d'un ton pâle de défunt sans regarder personne. (Ses amis évitaient de discuter avec lui dans ces moments, lorsque le timbre de sa voix devenait neutre et incolore et que le bleu de ses orbites semblait se vider de lumière.) Et je veux que la porte soit fermée.

Portes fermées, portes fermées : le psychiatre et sa femme laissaient toujours ouverte celle de la chambre de leurs filles et parfois, quand ils faisaient l'amour, les paroles confuses des rêves de leurs enfants se mélangeaient avec leurs gémissements dans une tresse sonore les unissant d'une façon si intime que la certitude qu'ils ne pourraient jamais se séparer apaisait en quelque sorte sa crainte de la mort, lui substituant une sensation tranquillisante d'éternité : rien ne changerait, leurs filles ne grandiraient jamais et la nuit se prolongerait dans un énorme silence de tendresse, comme un chat engourdi de sommeil à côté du radiateur, les vêtements éparpillés au hasard sur les chaises et la compagnie fidèle des objets connus. Il revit le couvre-lit où se multipliaient les taches blanches de sperme et les ovules vaginaux, et les traces de Rimmel sur l'oreiller de sa femme, il pensa à son expression indescriptible quand elle jouissait ou quand, assise sur ses genoux, elle croisait les mains derrière la nuque et faisait tourner son corps d'un côté et de l'autre pour mieux sentir son pénis, et alors que ses seins lourds se balançaient légèrement sur son buste étroit. GTS, lui dit-il sans parler, assis derrière son bureau de l'hôpital, récupérant le morse à travers lequel ils communiquaient sans que personne d'autre ne pût les comprendre, GTS jusqu'à la fin du monde, mon amour, maintenant que nous sommes déjà Pedro et Inês[1] à l'intérieur de la crypte d'Alcobaça dans l'attente du miracle qui doit venir. Et, se rappela-t-il, pour échapper au danger imminent des larmes, imaginer que les cheveux des infantes de pierre poussaient à l'intérieur de leurs crânes en nattes poussiéreuses, et qu'il avait écrit cela dans l'un des cahiers de poèmes qu'il détruisait périodiquement, comme certains oiseaux mangent leurs enfants avec une cruauté dégoûtée. Il aimait de moins en moins s'émouvoir : C'est signe que je vieillis, constata-t-il, donnant raison à sa mère qui, dans le salon, lançait en l'air cette phrase avec une solennité prophétique :

1. L'infant Pierre Ier (1320-1367) épousa secrètement Inês de Castro (1320-1355) dont il eut trois enfants, mais son père, le roi Alphonse IV, la fit assassiner. Devenu roi, Pierre « le Justicier » se vengea cruellement des assassins. Pedro et Inês reposent côte à côte dans de magnifiques tombeaux au monastère d'Alcobaça.

— Avec un caractère comme le tien, tu finiras tout seul comme un chien.

Et esquissant des signes d'approbation jaunie, les portraits encadrés semblaient lui donner raison.

L'Enfant Jésus n'avait pas cessé de lorgner le Botelho[1] collé à la vitre de la fenêtre, mais il glissa un rapide coup d'œil en direction du médecin et celui-ci, abandonnant son histoire intérieure pour revenir vers le motif de sa présence en ce lieu, saisit l'hostilité du jeune homme comme quelqu'un qui saute à la dernière seconde sur le marchepied d'un tranway en marche :

— Qu'est-ce que tu as dans le citron ? demanda-t-il.

Au frémissement des narines il devina que l'adolescent hésitait et il joua toutes ses cartes, se rappelant les instructions de son enfance pour sauver les noyés, pancartes fixées sur l'établissement de bains de la plage montrant des hommes moustachus en costume de bains rayé qui nageaient au-dessus de cinq colonnes d'une prose minuscule d'avertissements et d'interdictions.

— Écoute, dit-il au gosse, je déteste tout ça autant que toi et il ne s'agit pas d'un baratin de flic super cool dans un commissariat. Même si tes vieux pointaient un pétard sur ma tronche, tu ne moisirais pas ici, mais ce serait peut-être une bonne idée si tu m'expliquais un petit peu ce qui se passe : peut-être qu'ensemble nous arriverons à comprendre à quoi

1. Botelho, Carlos. Peintre mort en 1982 et qui peignait des vues de Lisbonne à la fois réalistes et chargées de poésie.

rime ce merdier, peut-être pas, en tout cas aucun de nous deux ne perdra rien à essayer.

Le rouquin contemplait de nouveau la fenêtre : il avait jaugé ces propos à l'intérieur de lui-même et opté pour le silence. Ses cils roses scintillaient dans la lumière, tels les fils de toiles d'araignées qui unissent les poutres des greniers.

— J'ai besoin que tu m'aides pour pouvoir t'aider, insista le psychiatre. Chacun dans son coin nous n'irons pas loin et je te parle en toute bonne foi. Tu es tout seul, dans le pétrin, et tes parents, de l'autre côté, veulent te boucler ici : nom d'une pipe, je te demande seulement de collaborer avec moi pour m'aider à empêcher ça et de ne pas rester planté là comme un furet effrayé !

Bouche close, le Petit Jésus continuait à étudier l'avenue Gomes-Freire et le psychiatre se rendit compte qu'il était stupide de continuer : il recula le pion de l'agrafeuse, ce qui lui fit sentir le froid agréable du métal sur sa peau, il appuya ses paumes sur le buvard vert, et finit par se lever avec la réticence d'un Lazare réveillé par un Christ inopportun. Avant de sortir, il passa les doigts dans les cheveux du garçon et aussitôt le crâne de celui-ci se tassa entre ses épaules, telle une tortue qui se glisse en vitesse dans sa carapace : Il n'y a déjà plus grand-chose à faire pour ce type et pour moi, pensa le psychiatre, nous nous trouvons tous deux, bien que de façon différente, au fond des fonds, à un endroit où aucun bras ne peut arriver jusqu'à nous, et, quand se terminera la réserve d'oxygène de nos poumons, adieu Marie ! Pourvu que je n'entraîne personne dans cette chute, c'est tout ce que je demande.

Il ouvrit brusquement la porte et tomba sur les parents de l'enfant penchés sur la serrure, épiant de façon infantile : tous deux se redressèrent aussi rapidement qu'ils le purent, récupérant péniblement la dignité irréprochable des adultes, et le médecin les regarda presque avec pitié, la même qu'il éprouvait tous les matins lorsqu'il observait le visage barbu dans lequel il avait du mal à se reconnaître, caricature usée de lui-même. En ayant fini avec les déjeuners, l'infirmier s'approcha en rasant le mur, traînant les mules en bois qu'il chaussait habituellement pendant son service. Le ronflement proche de l'alcoolique à la piqûre ressemblait au crissement rythmique d'une semelle humide.

— Vous allez emmener votre fils chez vous, dit le psychiatre aux parents du rouquin. Vous allez emmener votre fils chez vous, tout doucement, calmement, et vous reviendrez ici lundi pour un long et paisible entretien, car c'est une affaire qui demande des conversations longues et suivies, sans précipitation. Et profitez du dimanche pour regarder à l'intérieur de chacun de vous et à l'intérieur du chardonneret de la cage, regardez profondément à l'intérieur de chacun de vous et à l'intérieur du chardonneret de la cage.

Quelques minutes plus tard, il se trouvait dans la cour de l'hôpital devant sa petite voiture cabossée, toujours sale, Mon minuscule bunker ambulant, mon abri. Un jour pas très lointain, décida-t-il, je perdrai la boule pour de bon et je collerai une hirondelle de porcelaine sur le capot.

Quand il entra dans le restaurant, en courant presque car l'horloge du garage voisin indiquait une heure et quart, son ami l'attendait déjà derrière la porte vitrée, et examinait les romans policiers qui s'accumulaient sur une sorte de tourniquet en fil de fer sapin, en métal fertilisé par un fumier de journaux de droite empilés par terre. Protégée par une muraille de magazines, l'employée du bureau de tabac à la tête de renard exerçait son anglais schématique pour Amerloques bienveillants avec un couple entre deux âges surpris par cet étrange jargon dont ils reconnaissaient vaguement, de loin en loin, un ou deux mots. La renarde complétait son discours avec force gestes explicatifs de marionnette de foire, les autres lui répondaient dans un morse de grimaces, et son ami, qui avait délaissé les livres, assistait, fasciné, à ce ballet frénétique d'êtres qui resteraient irrémédiablement étrangers en dépit de leurs efforts gestuels pour se rencontrer dans un langage commun. Le psychiatre souhaita désespérément l'existence d'un espéranto qui abolirait les distances extérieures et intérieures séparant les gens, appareil verbal capable d'ouvrir des fenêtres matinales dans les nuits profondes de chaque être, comme certains poèmes d'Ezra Pound nous dévoilent soudainement les greniers de nous-mêmes en une révélation émerveillée : la certitude d'avoir rencontré un compagnon de voyage sur un banc, vide à première vue, et la joie d'un partage inespéré. L'une des choses qui le rapprochait le plus de sa femme c'était précisément d'y parvenir avec elle sans même avoir besoin d'habiller la pensée de phrases, la capacité de se comprendre en un bref regard, et cela ne provenait pas du fait qu'ils se connaissaient bien, parce qu'il en avait été ainsi dès la première rencontre, ils étaient alors très jeunes tous deux et avaient été sidérés par l'étrange force occulte de ce miracle qui ne se produisait avec personne d'autre, union tellement parfaite et profonde que, pensait-il, si ses filles pouvaient en bénéficier un jour, cela aurait valu pour lui la peine de les avoir faites et pour elles toutes les rougeoles de la vie auraient un sens. L'aînée, surtout, l'inquiétait : il craignait la fragilité de ses colères intempestives, ses multiples peurs, ses yeux verts tendus et attentifs dans son visage à la Cranach : parce qu'il avait été mobilisé pour la guerre en Afrique, il ne l'avait jamais sentie bouger dans le ventre de sa mère et pour elle, durant des mois, il avait représenté une photo, dépourvue du relief et de l'épaisseur de la chair, qu'on lui désignait du doigt dans le salon. Les baisers fugitifs qu'ils échangeaient aujourd'hui recelaient comme un vestige de ce ressentiment mutuel, difficilement contenu au bord de la tendresse.

L'amiral mélancolique, qui traînait sa retraite galonnée devant le bureau de tabac du restaurant en rêvant à des Indes scintillant au loin, ouvrit la porte vitrée pour laisser sortir deux individus à l'aspect compétent, portant tous deux des lunettes, et dont l'un affirmait à l'autre :

— Je lui ai tout déballé, tu sais comme je suis. J'ai foncé au cabinet du type et lui ai dit : Si tu ne me réintègres pas dans ma section, espèce de salaud, je te démolis le portrait. J'aurais aimé que tu voies ce con, ce merdeux, faire dans son froc.

Qu'est-ce qui pousse les portiers-amiraux, pensa le médecin, à échanger la mer contre des restaurants et des hôtels, dont les passerelles de commandement se réduisent aux proportions d'un paillasson usé, et à tendre la sébile de leur main dans l'attente de pourboires comme l'éléphant du jardin zoologique étire sa trompe vers les bottes de carottes que lui apporte son gardien ? Georges, viens visiter mon pays de marins[1] qui naviguent dans les eaux insipides de la servilité résignée. Sur le bord du trottoir, les individus à lunettes faisaient signe à un taxi vide comme des naufragés à l'intention d'un bateau indifférent. Le couple entre deux âges tentait, avec l'aide du catéchisme d'une grammaire, de pousser des exclamations en zoulou où surgissaient, déformées, de lointaines ressemblances avec le portugais de

1. *Georges, viens visiter mon pays de marins*, premier vers d'un poème (« Seul ») d'Antonio Nobre.

Linguaphone du genre « Le jardin de mon oncle est plus grand que le crayon de ton frère ». Le psychiatre, qui avait profité de la sortie des naufragés pour s'introduire de profil, tels les Égyptiens du manuel d'histoire de Matoso, dans le hall des Galeries, répondit avec un salut militaire approximatif à la courbette incertaine de l'amiral et s'étonna (comme cela lui arrivait à chaque fois) que le marin ne dépose pas une goutte de salive sur son médius et ne le lève pas pour étudier la direction du vent, à la façon des corsaires au bandeau sur l'orbite des films de son enfance. Nous sommes lui et moi des Sandokhan[1] d'âge mûr pensa le médecin, pour lesquels l'aventure consiste à déchiffrer la rubrique nécrologique du journal dans l'espoir que l'absence de notre nom nous garantira que nous sommes encore vivants. Et entre-temps nous tombons peu à peu en petits morceaux, par fragments, les cheveux, l'appendice, la vésicule, quelques dents, tels des colis en kit. Au-dehors le vent effleurait les branches des platanes comme lui-même avait effleuré la tête du gamin à l'hôpital, et une masse grise épaisse de menaces s'accumulait derrière la prison. Son ami lui toucha légèrement le coude : il était grand, jeune, un peu voûté, et ses yeux avaient une sereine douceur végétale.

— Mon grand-père a été enfermé là-bas un sacré bout de temps, l'informa le psychiatre en montrant du menton le bâtiment pénitentiaire et le mur de carton-pâte le long de l'avenue Marquês-da-Fron-

1. Sandokhan : héros du romancier Salgari.

teira, maintenant assombrie par l'approche de la pluie. Il y est resté un paquet de mois après la révolte de Monsanto[1] il appartenait à la fraction monarchiste de l'armée, tu comprends, et jusqu'à sa mort il a été abonné au *Debate*[2]. Mon père avait l'habitude de nous raconter qu'il allait lui rendre visite en taule avec ma grand-mère et ils montaient l'avenue en été, écrasés par la chaleur, lui vêtu d'un costume marin comme un singe d'orgue de Barbarie, elle portant un chapeau et une ombrelle et poussant son gros ventre devant elle comme Florentino, le déménageur, transportait des pianos à Benfica dans une énorme brouette. Non, sérieusement, imagine le tableau : l'Allemande à l'orbite bleue, dont le père s'était suicidé avec deux pistolets, il s'était assis derrière son bureau et pan ! et le garçon serré dans sa livrée de carnaval, duo s'acheminant vers un capitaine à moustaches qui était descendu du Fort avec sur le dos un type blessé, jusqu'à ce qu'il tombe sur les fusils des carbonari. Sur les photographies ovales de cette époque tumultueuse on ne distingue pas bien les traits et, lorsque nous sommes venus au monde, Salazar avait déjà transformé le pays en un séminaire domestiqué.

— Quand j'allais à l'école, dit son ami, mon institutrice dont les pieds non seulement étaient défor-

1. Le 22 janvier 1919, après l'assassinat du président de la République Sidonio Pais, des officiers monarchistes de la garnison du fort de Monsanto se mutinèrent mais ils furent désarmés après deux jours de combat.

2. *O Debate*, journal catholique.

més mais en plus chlinguaient, nous demanda de dessiner les animaux du zoo et j'ai représenté le cimetière des chiens, tu te souviens à quoi il ressemble ? Le Père-Lachaise des caniches ? Cela me fait penser parfois que tout le Portugal est un peu comme ça : le mauvais goût de la nostalgie en réduction et les aboiements enterrés sous des pierres tombales conventionnelles.

— À notre Mondego l'éternelle nostalgie de sa petite Lena, suggéra le médecin.

— Au cher Bijou ses maîtres qui ne l'oublieront jamais, Milou et Fernando, répondit son ami.

— Maintenant, dit le psychiatre, on remplace les enterrements des chiens par les remerciements au Saint-Esprit ou au Petit Jésus de Prague dans le *Diario de Noticias*. Quel pays génial ! Si le roi Don Pedro revenait sur terre, il ne trouverait pas, dans tout le royaume, une seule personne à châtrer. On naît déjà Invalide du Commerce[1] et nos ambitions se sont réduites à obtenir le premier prix à la loterie de la Ligue des Aveugles João de Deus, une Ford Capri minable au-dessus d'une camionnette aux haut-parleurs tonitruants.

De sa barbe blonde son ami frôla les épaules du médecin : il ressemblait à un écologiste qui aurait fait à la bourgeoisie la généreuse concession d'une cravate.

— As-tu écrit un peu ? lui demanda-t-il.

1. Avant la révolution de 1974, les employés du commerce, n'ayant droit à aucune prestation sociale, se faisaient souvent porter « invalides » pour obtenir une retraite.

Tous les mois, il lui assenait brusquement cette question terrifiante, parce que, pour le psychiatre, la manipulation des mots constituait une espèce de honte secrète, une obsession éternellement différée.

— Tant que je ne le fais pas, je peux toujours croire que, si je le faisais, je le ferais bien, expliqua-t-il, et me consoler ainsi de l'existence de mes nombreuses jambes torses de mille-pattes boiteux, tu saisis ? Mais si je commençais sérieusement un livre et que j'accouche d'une merde, quelle excuse me resterait-il ?

— Peut-être n'accoucherais-tu pas d'une merde, argumenta son ami.

— Je peux aussi gagner la maison d'*Éva*[1] à la loterie de Noël sans acheter le magazine. Ou être élu pape. Ou marquer un coup franc d'un tir brossé dans un stade bondé. T'en fais pas, quand je mourrai, tu publieras mes inédits avec une préface explicative, Machin, Tel Que Je L'Ai Connu. Tu signeras Max Brod et, dans l'intimité du lit, tu peux m'appeler Franz Kafka.

Ils avaient dépassé l'amiral qui se mouchait bruyamment dans la voile de son mouchoir et choisi l'entresol que le médecin préférait à cause de la tonalité d'incubateur de la lumière, des lampes cachées dans des tubes de passoire en laiton. Les clients mangeaient épaule contre épaule comme les apôtres au cours de la Dernière Cène et, de l'autre côté des fers à cheval des comptoirs, les garçons s'agitaient,

1. *Éva* : magazine féminin qui publiait pour Noël un numéro spécial, organisait une sorte de loterie et distribuait de nombreux prix, dont une maison.

frénétiques insectes vêtus d'un uniforme blanc, commandés par un type en civil, les mains derrière le dos, qui rappela au psychiatre les chefs de chantier qui observaient, le cure-dents à la bouche, les efforts de galériens des ouvriers : il n'avait jamais compris la raison d'être de ces créatures autoritaires et silencieuses qui regardaient les autres travailler avec des pupilles de merlan frit, adossés à de gigantesques Mercedes d'un bleu ciel couleur caleçon. Son ami se pencha pour attraper le menu posé sur un rebord métallique au-dessus de pots de moutarde et de sauces diverses (les produits de beauté de l'art culinaire, pensa le médecin), l'ouvrit avec une onction cardinalice, et commença à lire tout bas le nom des plats avec un plaisir monacal : il n'avait jamais accepté de partager avec quiconque cette opération voluptueuse, tandis que le psychiatre s'intéressait surtout aux prix, héritage de caste de ses parents chez qui la soupe se multipliait, indéfiniment, repas après repas, dans un miracle liquide. Un jour, alors qu'il était déjà adulte, une bouteille de vin apparut soudain sur la table et les yeux clairs de sa mère se promenèrent sur sa descendance stupéfaite tandis qu'elle expliquait :

— Maintenant, grâce à Dieu, nous le pouvons.

Ma vieille, pensa-t-il, ma vieille-vieille, nous n'avons jamais su bien nous entendre l'un et l'autre : dès la naissance, extrait de ton ventre par des forceps, je t'ai presque tuée d'une éclampsie, et selon ton opinion je suis allé, durant des années, d'échec en échec vers une catastrophe finale indéterminée mais certaine. Mon fils aîné est fou, annonçais-tu aux visiteurs pour excuser les bizarreries (selon toi) de mon comportement, mes mélancolies inexplicables, les vers que je sécrétais en cachette, cocons de sonnets pour une angoisse informe. Ma grand-mère que j'allais voir le dimanche en pensant uniquement aux fesses de sa bonne, et qui vivait dans l'ombre de la gloire et des décorations de deux généraux défunts, me prévenait en soupirant douloureusement à l'heure du bifteck :

— Tu finiras par tuer ta mère.

T'ai-je tuée ou me suis-je tué, ma vieille, qui durant si longtemps semblais être ma sœur, petite, jolie, fragile, bergère de vitrail et brume de Sardinha, dont le temps se partageait entre Proust et *Paris-Match*, accoucheuse d'héritiers mâles qui ont laissé intactes la sveltesse de tes hanches et la finesse de fil de fer de tes os ? J'ai peut-être hérité de toi le goût du silence, et tes gros ventres successifs ne t'ont pas accordé l'espace suffisant pour m'aimer comme j'en avais besoin, comme je le désirais, et lorsque nous nous sommes rendus compte de notre existence réciproque, l'un en face de l'autre, toi ma mère et moi ton fils, il était trop tard pour ce qui, à mes yeux, n'avait pas existé. Nous ne partageons que le goût du silence et nous nous regardons comme des étrangers séparés par une distance impossible à abolir, que penses-tu en fait de moi, de mon désir informulé de retourner dans ton utérus pour un long sommeil minéral sans rêves, pause de pierre dans cette course qui m'épouvante et dont j'ai l'impression qu'elle m'est imposée de l'extérieur, galop frénétique de l'angoisse vers le repos qui n'existe pas. Je me tue, mère, sans que personne ou presque ne le remarque, je me balance suspendu à la corde d'un sourire, je suinte en moi-même des moiteurs de grotte, une sueur de granite, je sécrète un brouillard dans lequel je me cache. Silence même dans la musique de fond du restaurant, pastille Rennie en clé de sol pour faciliter la digestion de gens pressés, autruches qui, au lieu d'hosties, engloutissent à toute allure des pizzas dans une course contre la montre, musique de fond qui me rappelle toujours des poissons de triples croches qui se blottissent dans les sables de la portée avec de petits yeux mielleux et protubérants observant l'aquarium, berceuse pour intestins résignés.

Son ami réussit finalement à attirer l'attention d'un serveur qui vibrait d'impatience, aiguillonné par de multiples appels, comme un cheval, éperonné par des ordres simultanés et contradictoires, secoue les crins clairsemés de sa chevelure avec un air d'indécision angoissé.

— Qu'est-ce que tu prends ? demanda-t-il au médecin qui disputait son mètre de comptoir à une énorme dame obèse occupée par la pyramide d'une énorme glace obèse, édifice baroque de fruits confits contre lequel elle livrait férocement bataille à pleine cuiller : on ne comprenait pas bien lequel des deux finirait par dévorer l'autre.

— Un hamburger avec du riz, dit le psychiatre sans regarder le missel des poissons et des viandes où le latin avait été remplacé par un français de casseroles dicté par l'autorité de *prima donna* du cuisinier. Du pemmican, ô visage pâle, mon frère, avant que je pénètre dans la Prairie des Chasses Éternelles.

— Un hamburger et un rôti de porc, traduisit son ami pour le garçon sur le point de se craqueler de désespoir.

Encore une minute, pensa le médecin et des crevasses de tremblement de terre vont s'ouvrir dans ses joues, il va se désintégrer et s'écrouler sur le sol dans un fracas d'éboulement.

— Syncope de vieil immeuble, dit-il à voix haute, syncope de Prix Valmor[1] rongé par la lèpre et la vermoulure.

La dame au sorbet lança vers lui un regard de chien errant prêt à attaquer parce qu'il craint de voir menacée sa quête de déchets comestibles : d'abord la chantilly, ensuite la métaphysique, refléchit le psychiatre.

— Quoi donc ? demanda son ami.

— Quoi quoi donc ?

— Tes lèvres remuaient et je n'entendais aucun son, dit son ami. Comme les bigotes à l'église.

— J'étais en train de gamberger : écrire c'est un peu pratiquer la respiration artificielle avec le dictionnaire de Morais[2], la grammaire du certificat d'études et autres tombeaux de mots défunts, et moi, tantôt vide, tantôt plein d'oxygène, je suis hébété à force de doutes.

Devant eux, une jeune fille qui louchait comme un moineau en rut chuchotait des rires confidentiels à un

1. Prix institué au XIXe siècle par le comte de Valmor pour récompenser chaque année l'édifice « le mieux et le plus artistiquement construit » à Lisbonne. Il s'agit évidemment d'une architecture très académique.

2. Le Littré portugais.

quadragénaire penché pour recueillir, telle une conque, ses petits éclats de rire sautillants. Le psychiatre était prêt à parier que l'homme était un ancien prêtre à cause de ses gestes dépourvus d'arêtes et de la courbe molle de ses lèvres entre lesquelles il introduisait des morceaux de pain à un rythme régulier de métronome, mastiquant au ralenti avec la lenteur dédaigneuse d'un chameau. De ses paupières coulaient des regards ternes et pesants et la bigleuse, émerveillée, lui mordillait de ses dents abîmées un bout d'oreille à la manière d'une girafe étendant sa grosse langue au-dessus des grilles, vers les feuilles d'eucalyptus.

Un deuxième serveur, sosie de Harpo Marx, poussa les tranches de porc rôti et le hamburger sur les nappes de papier. En levant sa fourchette, le médecin se sentit comme un veau attelé à la mangeoire qu'il partageait avec d'autres veaux, tous prisonniers de la tyrannie de leurs boulots, sans une minute pour la joie ni pour l'espoir. Le travail, la balade en voiture le dimanche selon l'inévitable triangle Maison-Sintra-Cascais, de nouveau le travail, de nouveau la balade en voiture, et cela jusqu'à ce qu'un corbillard nous cueille par surprise au coin de l'infarctus et que le cycle se termine au point final du cimetière des Plaisirs. Faites vite, s'il vous plaît, faites vite, demanda-t-il de tout son corps au Dieu de son enfance, croquemitaine barbu et ami intime de ses tantes, maître du sacristain boiteux de Nelas, divin colombophile, bénéficiaire des troncs pleins d'aumônes et des saints diligents des autels latéraux, ce Dieu avec lequel il entretenait une relation désabusée d'amants qui n'attendent presque plus rien l'un de l'autre. Comme personne ne lui répondait, il mangea l'unique champignon qui décorait le hamburger et ressemblait à une molaire jaunie faute de dentifrice. Le silence de son ami lui fit comprendre que celui-ci, avec sa patience habituelle d'arbre tranquille, attendait la justification de son coup de téléphone du matin.

— Je touche le fond, dit le psychiatre, le champignon encore sur la langue, et il se souvint que, durant son enfance, au catéchisme, on l'avait prévenu que parler avant d'avaler l'hostie était un horrible péché. Le fond des fonds, merde. Le fond du fond des fonds.

À côté de la fille qui louchait, un monsieur âgé lisait *Sélection* en attendant son déjeuner : Je suis le Testicule de Jean. Pourquoi un individu de soixante ans a-t-il besoin de testicules ?

— Je touche le fond des fonds, continua le psychiatre, et je ne suis pas sûr de sortir de la vase où je suis embourbé. Je n'ai même pas la certitude qu'il existe la moindre issue pour moi, tu comprends ? Parfois, au début, j'entendais parler les malades et je me demandais : comment ce gars ou cette nana se sont-ils fourrés dans le puits, et je ne trouvais pas le moyen de les tirer de là, étant donné la faible longueur de mon bras. Comme lorsque, durant mes études, on nous montrait, dans les hôpitaux, des cancéreux raccrochés au monde par le cordon ombilical de la morphine. Je pensais à l'angoisse de ce type ou de cette fille, j'extrayais des médicaments et des paroles de consolation de mon effroi, mais jamais je n'aurais imaginé qu'un jour je viendrais grossir leurs rangs parce que, moi, merde, j'avais la pêche. J'avais la pêche : j'avais une femme, j'avais des filles, le projet d'écrire, des choses concrètes, des bouées pour me maintenir à la surface. Si l'angoisse me démangeait un tout petit peu, la nuit, tu sais comment c'est, j'allais dans la chambre des petites, ce désordre, ce fourbi enfantin, je les regardais dormir, je me rassérénais : je me sentais épaulé, tu vois, épaulé et en sûreté. Et soudain, nom de Dieu, ma vie a basculé cul par-dessus tête, je me suis retrouvé comme un cafard gigotant sur le dos, les pattes en l'air, désemparé. Tu comprends, nous, je veux dire, elle et moi, nous nous aimions beaucoup, nous continuons à nous aimer beaucoup et, l'emmerdant, c'est que je n'arrive pas à me remettre d'aplomb, à lui téléphoner pour lui dire — Nous allons lutter, parce que j'ai peut-être perdu l'envie de lutter, mes bras ne bougent plus, ma voix ne parle plus, les tendons de mon cou ne soutiennent plus ma tête. Et, foutre Dieu, je ne veux que cela. Je crois que nous deux nous avons échoué parce que nous ne savions ni pardonner, ni accepter de ne pas être complètement acceptés, et, pendant ce temps-là, en nous blessant et en étant blessés, notre amour (cela fait du bien d'utiliser ces mots : notre amour) résiste et grandit sans qu'aucun souffle ne l'ait éteint jusqu'ici. C'est comme si je pouvais l'aimer seulement en me trouvant loin d'elle, tout en désirant tellement, putain de bordel, l'aimer de près, corps à corps, c'est-à-dire exactement ce que notre combat a été depuis que nous nous connaissons. Lui donner ce que je n'ai pas su lui donner jusqu'à maintenant et qui existe en moi, congelé d'ailleurs mais respirant toujours, petite semence enfouie qui attend. Ce que j'ai désiré lui donner depuis le début, ce que je veux lui donner, la tendresse, tu comprends, sans égoïsme, le quotidien sans routine, le don absolu d'une vie partagée, un vécu total, chaud et simple comme un poussin dans le creux de la main, petit animal apeuré et tremblant, bien à nous.

Il se tut, la gorge serrée, pendant que le monsieur qui lisait *Sélection*, ayant plié un coin de page avant de refermer la revue, versait le contenu d'un paquet de sucre, à petites pichenettes prudentes, dans la jaunisse de son infusion au citron. La dame obèse avait définitivement gagné la bataille contre la glace et sa tête dodelinait légèrement, tel un boa rassasié. Trois adolescents myopes s'entretenaient de leurs biftecks respectifs, lorgnant une rousse solitaire le couteau dressé en l'air comme la patte suspendue d'une cigogne, plongée dans des méditations indéchiffrables.

— Aucun de vous deux ne trouvera quelqu'un comme l'autre, dit son ami en éloignant son assiette vide avec le dos de la main, aucun de vous deux ne trouvera quelqu'un d'aussi fait pour l'autre, aussi accordé à l'autre que toi et elle, mais tu te punis et te punis sans arrêt avec une culpabilité d'alcoolique, tu t'es exilé dans cette saleté d'Estoril, tu as disparu, personne ne te voit plus, tu t'es évaporé dans les airs. Je t'attends toujours pour que nous terminions le travail sur l'Acting-Out.

— Je suis dépourvu d'idées, dit le médecin.

— Tu es dépourvu de tout, répondit son ami.

Pourquoi ne te cognes-tu pas tout de suite la tête contre un mur ?

Le psychiatre se souvint d'une phrase de sa femme peu avant leur séparation. Ils étaient assis sur le canapé rouge du salon, sous une gravure de Bartolomeu[1] qu'il appréciait beaucoup, pendant que le chat cherchait un espace tiède entre leurs hanches, et à ce moment elle avait tourné vers lui ses grands yeux marron d'un air décidé et avait déclaré :

— Je n'admets pas que, avec ou sans moi, tu renonces, parce que je crois en toi et que j'ai tout misé sur toi.

Il se souvint combien cela l'avait encouragé tout en lui faisant mal et qu'il avait chassé l'animal pour enlacer le corps étroit et brun de sa femme, en répétant GTS, GTS, GTS, ému et angoissé : elle avait été la première personne à l'aimer tout entier, y compris le poids énorme de ses défauts. Et la première (et la seule) à l'inciter à écrire, quel que fût le prix à payer pour cette quasi-torture sans but apparent : coucher un poème ou une histoire sur un morceau de papier. Et moi, se demanda-t-il, qu'ai-je vraiment fait pour toi, en quoi ai-je tenté, réellement, de t'aider ? Opposant mon égoïsme à ton amour, mon insouciance à ton intérêt, mon désistement à ton combat ?

— Je suis un merdeux qui appelle au secours, dit-il à son ami, tellement merdeux que je ne tiens

1. Bartolomeu Cid dos Santos. Graveur portugais né en 1931 dont les œuvres témoignent d'une mélancolie un peu fantasmagorique.

pas sur mes guibolles. Je demande une fois de plus l'attention des autres sans rien donner en échange. Je pleure des larmes de bébé crocodile qui ne m'aident même pas et, si ça se trouve, je ne pense qu'à moi.

— Essaie d'être un homme pour changer, lui répondit son ami en harponnant le frère Marx par la manche pour lui demander un double express. Essaie d'être un homme, même un petit moment : peut-être que tu pourras t'en sortir.

Le médecin baissa les yeux et s'aperçut qu'il n'avait pas touché au hamburger. La vue de la viande et de la sauce coagulées et froides déclencha en lui une sorte de vertige angoissé qui grimpa en tourbillon des tripes à la bouche. Il descendit de son tabouret comme d'une selle malcommode soudain trop mobile, réprimant son envie de vomir en utilisant les muscles de son ventre, les mains ouvertes devant sa figure, très gêné. Il réussit à atteindre les toilettes et, plié en deux, commença à expulser par saccades dans le lavabo le plus proche de la porte, les restes brouillés du dîner de la veille et du petit déjeuner matinal, morceaux blanchâtres et gélatineux qui glissaient, dégoûtants, vers l'orifice. Quand il parvint à se dominer suffisamment pour se laver la bouche et les paumes des mains, il vit dans le miroir que son ami, derrière lui, regardait son visage creusé et pâle, encore tordu par la suffocation et les coliques.

— Dis donc, dit-il à l'image reflétée dans la glace, ange tutélaire de son angoisse immobile sur un fond d'*azulejos*, dis donc, tête de nœud, cul de vieille morveuse, couilles du père Ignace, c'est vraiment la merde d'être un homme. Pas vrai ?

Les nuages qui formaient comme un bonnet de nuit au-dessus de la silhouette de carton-pâte découpé de la prison étendaient leur ombre obscure jusqu'à la moitié du parc tandis que le médecin se dirigeait vers sa voiture qu'il avait garée comme d'habitude il ne savait plus bien où, à un endroit quelconque sous le vert doré des platanes qui bordaient l'immense espace central s'étendant jusqu'au fleuve dans une amplitude sans majesté. Un groupe de Tsiganes accroupis sur le trottoir se disputait, en criant, la possession d'une horloge décrépite, dont le balancier agonisant oscillait comme un bras pendant d'une civière, lâchant de temps en temps un tic-tac épuisé de dernier soupir. Ce n'était pas encore l'heure où les homosexuels peuplaient les intervalles entre les arbres avec leurs silhouettes expectantes, caressés par des voitures qui se frottaient langoureusement contre eux tels de grands chats avides, conduites par des messieurs qui vieillissaient comme les violettes se fanent, suaves et meurtries. C'est là que le psychiatre avait rencontré pour la première fois une prostituée qui arpentait à grandes enjambées de propriétaire huit mètres de macadam, créature majestueuse parée de fausses perles et d'horribles bagues de verre, énorme boulangère d'Aljubarrota qui l'avait sauvé à coups de sac à main des sourires de sirène de deux travestis engoncés dans du satin rouge, rangers au pied, fourriers arrondissant leur solde grâce à des mi-temps carnavalesques, puis elle l'avait entraîné de façon autoritaire dans une chambre sans fenêtre où l'on remarquait sur les murs des gravures de moines saouls et, sur la commode, le portrait de Cary Grant au milieu d'un ovale de crochet. En chaussettes, tenant entre ses bras ses vêtements qu'il ne savait où poser, le médecin, partagé entre la timidité et le désir, avait vu cette Mata Hari de pacotille se métamorphoser en un être ressemblant au monstre à tétons herculéens chargé de déchirer des annuaires téléphoniques dans le cirque qui, en été, s'exhibait sur la plage et promenait ses tigres galeux et ses pauvres paillettes sans éclat. La femme s'introduisit entre les draps comme une tranche de jambon entre les deux moitiés d'une baguette, et lui, à demi paralysé, s'approcha du couvre-lit jusqu'à le toucher timidement, à la façon du baigneur qui, tel un danseur de ballet frileux, palpe du bout de l'orteil la température de la piscine. La tulipe du plafond révélait le planisphère de continents inconnus que l'humidité dessinait sur le plâtre. Le cri impatient — Hé ! mec, c'est pour aujourd'hui ou pour demain ? — le jeta sur le lit avec la véhémence sans réplique d'un coup de pied opportun, et le psychiatre perdit sa virginité en pénétrant, tout entier, dans un grand tunnel poilu, écrasant son nez sur un oreiller parsemé d'épingles à cheveux tel un arbre de Noël avec ses boules de coton, sur lesquelles s'aggloméraient des plaques de pellicules identiques à des pétales de graisse. Deux jours plus tard, alors que coulait dans son slip une stéarine brûlante, il acquit la certitude, grâce aux piqûres du pharmacien, que l'amour est une maladie dangereuse qui se soigne avec une boîte d'ampoules et en se livrant à des ablutions de permanganate tiède dans le bidet de la bonne, pour soustraire la véhémence des passions à la curiosité interrogatrice d'une mère.

Mais à cette heure innocente de l'après-midi, le parc était peuplé seulement de Japonais souriants se saluant les uns les autres dans un langage de perruches et auxquels les Tsiganes tentaient de refiler l'horloge avec la détermination d'un père qui lance des pelletées de Maïzena dans le gosier d'un enfant rebelle, et les Japonais, surpris, regardaient cet étrange entrepôt de minutes dans lequel le pendule pendait d'une petite porte de verre comme le cœur entouré d'épines des Christ des images pieuses et ils observaient, mi-curieux, mi-étonnés, cet ancêtre aux traits ne ressemblant que très vaguement à ceux des ovnis chromés qui scintillaient sur leurs minces poignets et envoyaient des messages lumineux. Le psychiatre se sentit soudain préhistorique à côté de ces êtres dont les yeux obliques étaient des lentilles de Leica et dont les entrailles avaient été remplacées par des carburateurs de Datsun, définitivement délivrés des brûlures d'estomac et des flatulences qui hésitaient entre le soupir et le rot : Je me demande si ce sont des borborygmes ou de la tristesse, pensait-il souvent quand sa poitrine se gonflait et qu'arrivait à sa bouche le ballon d'un chewing-gum sans chewing-gum qui s'évaporait sur ses lèvres dans un petit sifflement de comète et, par commodité, il attribuait à l'œsophage ce qui en fait concernait son désarroi et son angoisse.

Il trouva sa voiture coincée entre deux énormes breaks, éléphants d'ivoire servant à retenir les livres de sa grand-tante et enserrant à contrecœur une brochure dérisoire : Un de ces jours je vais acheter un camion à seize roues et je deviendrai ainsi une personne très importante, décida le médecin en s'introduisant dans sa voiture minuscule, au tableau de bord rempli de cassettes muettes et de boîtes de médicaments périmés depuis longtemps : il conservait ces objets inutiles comme d'autres gardent dans leur tiroir le flacon contenant leurs calculs après l'opération de la vésicule, dans l'espoir émouvant de baliser le passé avec ce que la vie abandonne sur les marges de son cours, et il passait de temps en temps les doigts sur ces médicaments comme les Arabes caressent leurs mystérieux chapelets. Je suis un homme d'un certain âge, cita-t-il à haute voix comme cela lui arrivait toujours quand Lisbonne, ébauchant un mouvement méditatif de langouste de vivier, resserrait ses pinces autour des tendons de son cou, et que les maisons, les arbres, les places et les rues pénétraient pêle-mêle dans sa tête à la façon d'un tableau de Soutine dansant un charleston carnivore et frénétique.

Tournant le volant d'un côté puis de l'autre, comme une roue de gouvernail, il échappa aux hippopotames endormis des breaks qui dressaient au-dessus du fleuve de l'asphalte les yeux paresseux de leurs phares, mammifères conduits par des commis-voyageurs loquaces qui parcouraient la province dans des safaris au long desquels les villages indigènes cédaient la place à des kiosques à musique affligés de psoriasis de rouille et, tout autour, des vieillards appuyés sur des cannes crachaient avec autorité entre leurs bottes de basane, puis il pénétra dans la file hoquetante des fourmis de la circulation, dirigée au loin par les œillades dépourvues de sensualité des feux de signalisation. Le vert lumineux ressemblait à la couleur des iris de sa fille aînée quand elle souriait de plaisir sous ses cheveux blonds en désordre, minuscule sorcière à califourchon sur le balai du zèbre en bois du manège durant des voyages d'une allégresse débordante : le psychiatre la trouvait alors beaucoup plus âgée qu'elle ne l'était en réalité, et, appuyé à la balustrade en fer, payant mélancoliquement l'employé, il croyait être devenu un vieux monsieur se dirigeant en trébuchant dans son caleçon vers l'objectif proche du cancer de la prostate et l'ultime sonde, pauvre bouquet final des destins anonynes.

Tandis que le moteur de sa voiture bégayait en fonction des haut-le-cœur d'indigestion d'une longue file de capots, il cherchait le cabinet de son dentiste parmi les prix Valmor baroques des coins de rue, modèles réduits du monastère des Jéronimos qui abritaient des dynasties de colonels de réserve et d'extravagantes octogénaires : il ne travaillait pas les vendredis après-midi et faisait son possible pour meubler le long tunnel creux des fins de semaine avec de petites activités marginales, tout comme ses tantes qui, armées de chapelets, de bonnes paroles et de pièces de cinq *tostões*[1], occupaient l'espace confortable de leurs matinées par des visites à ceux qu'elles appelaient avec un orgueil de propriétaire « nos chers pauvres », créatures accommodantes que le croquemitaine inquiétant du communisme n'avait pas encore assaillies de doutes dangereux concernant la vertu de la petite sainte Conceição. Le médecin les avait parfois accompagnées dans ces raids sinistrement pieux (« Ne t'approche pas trop d'eux à cause de leurs maladies ») dont il conservait le lancinant souvenir de l'odeur de faim et de misère et d'un paralytique qui rampait dans la boue au milieu des taudis, la main tendue vers ses tantes qui lui garantissaient, missel au poing, les magnificences de l'éternité à la condition expresse de respecter scrupuleusement l'argenterie de notre famille.

Une fois rentré à la maison, le psychiatre avait droit à son tour à un sermon (« Mon petit, prie pour qu'il n'y ait pas une révolution car ces gens-là sont tout à fait capables de nous tuer tous »), et elles lui expliquaient que Dieu, être conservateur par excellence, assurait l'équilibre des institutions en offrant à celles qui n'avaient pas attrapé d'excellentes phtisies

1. Le *tostão* représentait le dixième du *milreis*, unité de monnaie qui a précédé l'escudo. Il existe encore des pièces de 25 *tostões*.

galopantes, qui les débarrassaient de la corvée quotidienne des tâches ménagères et des bouffées de chaleur de la ménopause, en leur offrant des vagues écarlates qui venaient leur rappeler le fait honteux de posséder sous leurs jupes les exigences, présentes bien que moribondes, d'un sexe. Et il se souvint que, lorsqu'il avait commencé à se masturber, sa mère, intriguée, était allée montrer à son mari une tache sur son slip, à la suite de quoi il avait reçu une convocation officielle pour se présenter au bureau de son père, maître-autel de la maison où celui-ci, la pipe entre les gencives, étudiait des maladies bizarres dans des livres allemands durant des heures interminables. Être appelé au bureau constituait en soi l'acte le plus solennel et terrible de son enfance, et l'on pénétrait dans ce lieu auguste les mains derrière le dos, la langue s'embrouillant déjà en excuses et avec la résignation d'un veau allant à l'abattoir.

Son père, qui écrivait sur une planche posée sur ses genoux, coula vers lui un regard de biais, sévère comme une robe noire qui laissait néanmoins entrevoir la dentelle du jupon — sorte de compréhension furtive —, et déclara, de la belle voix profonde avec laquelle il récitait les sonnets d'Antero[1] pendant les angines de ses fils, assis au bord du lit, le livre à la main, solennel comme s'il accomplissait un rituel initiatique :

— Prends tes précautions et veille à te laver.

Et pour la première fois, pensa le médecin, il

1. Antero de Quental (1842-1891). Poète et philosophe aux idées progressistes.

s'était aperçu physiquement que son père avait été jeune ; en regardant son visage maigre et sérieux, taillé dans l'os, et ses orbites perçantes d'un gris phosphorescent, il avait affronté l'angoissante évidence de devoir à son tour avancer en chancelant de métamorphose en métamorphose vers l'insecte parfait qu'il ne réussirait jamais à devenir.

Je n'en serai pas capable, je n'en serai pas capable, je n'en serai pas capable, se répétait-il debout sur le tapis du bureau, fixant la silhouette de quaker de son père, penché sur son papier avec une attention de brodeuse. L'avenir surgit devant lui sous la forme d'une bouche noire et vorace prête à lui sucer le corps par sa gorge rouillée, dégringolade d'égout en égout vers la mer intraitable de la vieillesse, abandonnant sur le sable de la marée basse les dents et les cheveux des décrépitudes sans majesté. La photographie de sa mère souriait dans la bibliothèque et émettait des éclats mélancoliques de rosace comme si le matin de sa joie traversait difficilement le pâle vitrail de ses lèvres : elle non plus n'avait pas réussi, oscillant, indécise, entre la canasta et Eça[1] et se perdant, toute seule, sur un coin de canapé, dans des méditations énigmatiques, et parfois avec les autres, le reste de la tribu, il se passait la même chose, solitaires même quand ils n'étaient pas seuls, irrémédiablement séparés par l'infini du désespoir. Il revit son grand-père sur la véranda de la maison de

1. Eça de Queiros, José Maria (1845-1920). Romancier réaliste qui a longtemps vécu à Paris.

Nelas, durant ces après-midi de la Beira où le crépuscule répand sur la montagne des brumes mauves de film biblique, en train d'observer les marronniers avec l'amertume d'un amiral sur le tillac de son navire en perdition, il revit sa grand-mère faire les cent pas, promenant dans le couloir la fièvre de son énergie inutile qui la brûlait de sa flamme, ses oncles que le quotidien avait plastifiés, la morne résignation des visiteurs, le silence qui recouvrait soudainement le bruit des conversations et durant lequel les gens s'agitaient, inquiets, saisis de peurs muettes. Qui serait capable, se demanda le psychiatre cherchant une place pour sa voiture à côté du cabinet du dentiste et la garant à reculons devant une épicerie lépreuse dont le riz et les pommes de terre étaient assassinés par un supermarché gigantesque offrant aux visiteurs sidérés de la nourriture américaine déjà mastiquée, enveloppée dans le papier Cellophane de la voix d'Andy Williams s'évaporant en exhalations séductrices grâce à des haut-parleurs savamment répartis, qui serait capable de s'offrir à soi-même, de soi-même, l'image parfaite d'un gymnaste roumain immobile dans l'espace durant une démonstration d'anneaux, et dont les aisselles de Tarzan lâcheraient des bouffées de poussière de talc ? Peut-être suis-je mort, pensa-t-il, je suis sûrement mort, de sorte que rien d'important ne peut plus m'arriver, seule la gangrène ronge mon corps à l'intérieur, ma tête vide d'idées, et là-bas en haut, à la surface, la main molle du vent cherche à agiter les cimes des cyprès, dans un frémissement de feuilles de vieux journal qui se froisse.

Dans le couloir du cabinet dentaire, le bourdonnement invisible de la roulette envahissait la pénombre avec la persévérance d'une mouche à viande cherchant le morceau de sucre d'une molaire prise au dépourvu. La secrétaire, maigre et pâle comme une comtesse hémophile, lui tendit ses doigts transparents de l'autre côté du comptoir :

— Vous allez un petit peu mieux, docteur ?

Elle faisait partie de cette catégorie de Portugais qui transforment les événements de la vie en une horripilante succession de diminutifs : la semaine précédente, le médecin avait écouté, anéanti, le récit minutieux de la grippe de son fils, enfant pervers qui avait l'habitude de s'amuser avec les fiches du standard, déviant vers Boston ou vers le Népal les hurlements de douleur des abcès lisboètes.

— Il a eu un petit peu mal au ventre, je lui ai mis un thermomètre sous son petit bras, le pauvre chéri, ses petits yeux étaient tellement enflammés, vous n'en avez pas idée, il a eu droit pendant une semaine à des petits bouillons de poulet, j'ai même pensé téléphoner à votre petit papa, docteur, on ne sait jamais, à cet âge, si son petit cerveau n'en gardera pas des traces, maintenant grâce à Dieu il a récupéré, j'ai promis un petit cierge à sainte Philomène, je l'ai laissé assis dans son petit lit, bien tranquille, à jouer au standardiste, puisqu'il ne peut plus répondre au téléphone ici, il fait semblant de répondre là-bas, il y a un tout petit moment, l'ingénieur Godinho, ce monsieur assez fort, très sympathique, sans vouloir vous offenser, a appelé parce que sa dent de sagesse le gênait, il s'est étonné de ne pas entendre mon petit Edgar, il s'était habitué à lui, il m'a même dit Alors, dona Delmira, où est passé votre petit garçon ? Si Dieu le veut, monsieur l'ingénieur, vous le verrez ici la semaine prochaine, je lui ai répondu, ce n'est pas parce qu'il s'agit de mon fils, car ce serait prétentieux de m'en vanter, mais, docteur, vous n'imaginez pas le talent qu'il a pour les écouteurs, quand il sera grand, il travaillera certainement à la Marconi, ma sœur répète toujours Je n'ai jamais vu quelqu'un comme Edgar Filipe, elle l'appelle Edgar Filipe parce que c'est son nom, Edgar celui de son père et Filipe celui de son parrain, je n'ai jamais vu quelqu'un aussi doué qu'Edgar Filipe pour les standards téléphoniques, et c'est vrai, ma sœur est mariée à un électricien et elle s'y connaît, pourvu que la Vierge Marie permette que la grippe n'attaque pas ses petites oreilles. Je ne veux même pas y penser, cela me donne tout de suite des vertiges, je marche à coups d'Effortil, vous savez, le médecin de la Sécurité sociale m'a prévenue Surveillez votre tension, madame, vous n'avez rien aux reins mais prenez soin de votre tension, et voilà, docteur, votre petit rendez-vous est fixé pour vendredi.

Ces conversations, genre caravelle miniature en filigrane, pensa le psychiatre, provoquent en moi l'exaltation admirative qu'éveillent les napperons de crochet et les peintures de manège, amulettes d'un peuple qui agonise dans un paysage résigné de chats juchés sur des rebords de fenêtres au rez-de-chaussée et d'urinoirs souterrains. Même le fleuve vient soupirer son asthme sans grandeur au fond des cabinets : une fois passé le cap Bojador[1] l'océan est devenu irrémédiablement gras et pacifique comme les chiens des concierges, frottant contre nos chevilles la soumission irritante de leurs reins de castrés. Appréhendant une nouvelle description de ses infortunes de santé, le médecin disparut dans la grotte de la salle d'attente, tel un crabe poursuivi par une épuisette tenace. Là, une pile de magazines missionnaires entassés à côté du lampadaire en fer forgé qui diffusait tout autour une lumière blême d'orbite strabique, lui assurait la paix innocente d'un Notre-Père zoulou. Calant ses hanches dans le canapé de cuir noir usé par les innombrables caries qui l'avaient précédé, cheval embaumé en forme de siège et peut-être capable de trois ou quatre ruades d'animal éclopé, il tira de la pile de journaux vertueux les restes d'un hebdomadaire sur la couverture duquel une bonne sœur métisse riait et où un père écossais racontait, dans un long article illustré par des photographies de zèbres, la fructueuse évangélisation d'une tribu de Pygmées, parmi lesquels deux d'entre eux, le diacre M'Fulum et le sous-diacre T'Loclu, préparaient maintenant à Rome la thèse révolutionnaire qui établissait la hauteur exacte de l'arche de Noé en se fondant sur le calcul de la longueur moyenne des cous des girafes : l'ethnothéologie détrônait le catéchisme. D'ici peu, un chanoine

1. Le cap Bojador, situé à l'ouest de l'Afrique, marqua longtemps la limite des explorations maritimes portugaises et fut franchi en 1434 par Gil Eanes.

d'Arabie saoudite démontrerait qu'Adam était un chameau, le serpent un pipeline et Dieu le Père un cheikh aux lunettes Ray Ban commandant une multitude d'anges eunuques du haut du Paradis de sa Mercedes à six portes. Pendant quelques instants, le psychiatre pensa que l'Agha Khan était réellement l'incarnation de Jésus-Christ, et se vengeait des désagréments du Calvaire en descendant à ski les montagnes suisses en compagnie de Miss Philippines, et que les vrais saints étaient les sujets bronzés figurant sur les publicités des Rothmans King Size et affichant des attitudes viriles d'après-coït triomphal. Il se compara mentalement à eux, et le souvenir du visage qu'il entrevoyait de temps en temps, en passant, devant les miroirs des salons de thé, maigre, fragile et possédant une sorte de grâce inachevée, le fit se confronter pour la millionième fois avec l'amertume de son origine terrestre, promise à un futur sans gloire. Une douleur constante vrillait sa molaire. Il se sentait seul et désarmé comme devant un jeu d'échecs extravagant dont il ignorait les règles. Il avait d'urgence besoin d'une éducatrice pour enfants qui lui enseignât à marcher, penchant vers lui des seins généreux et ardents de louve romaine retenus par le tissu doux au toucher d'un soutien-gorge rose. Personne ne l'attendait nulle part. Personne ne se souciait particulièrement de lui. Et le canapé de cuir devint son radeau de naufragé à la dérive dans la ville déserte.

Cette vertigineuse certitude de vide qui l'envahissait le plus souvent aux heures matinales, quand il se regroupait péniblement autour de lui-même avec les mouvements empâtés et onctueux de l'explorateur qui revient de parcours intersidéraux pour se retrouver, chassieux, dans deux mètres de draps en désordre, se dissipa un peu lorsqu'il entendit des pas s'approcher dans le couloir du dentiste, salués par la voix de l'hémophile (« Bonjour, Mlle Édith, vous devrez attendre un petit peu dans la salle »), voix qui parvenait de l'entrée, murmure de prière larmoyante de quelqu'un qui débite le Coran depuis la meurtrière d'une mosquée. Quittant les Pygmées éclairés par l'exemplaire parcours spirituel de saint Louis de Gonzague, il leva les yeux et vit une jeune fille rousse sur le siège jumeau du sien, de l'autre côté du lampadaire, et qui, après un premier regard de biais pour l'évaluer, bref et aigu comme la langue d'un projecteur, posa sur lui ses yeux clairs avec le battement de cils qu'ont les tourterelles lorsqu'elles se nichent sur les coudes des statues. Dans l'immeuble d'en face, une femme très grosse secouait un tapis au milieu de ses géraniums, tandis que le voisin du dessus, en gilet de corps, lisait un journal sportif assis à son balcon sur une chaise de toile. Il était deux heures et quart de l'après-midi. La jeune fille rousse tira de son sac un livre de la collection Vampire dont la page était marquée par un ticket de métro, croisa ses jambes comme les lames d'une paire de ciseaux qui se superposent, et la courbe de son cou-de-pied ressemblait à celle des ballerines de Degas suspendues dans des mouvements à la fois instantanés et éternels, enveloppés dans les vapeurs cotonneuses et tendres du peintre : il y a toujours quelqu'un pour s'extasier lorsque les gens volent.

— Holà ! Salut ! dit le médecin avec le ton que Picasso avait dû utiliser, pour s'adresser à sa colombe.

Les sourcils de la jeune fille rousse convergèrent l'un vers l'autre jusqu'à former l'accent circonflexe du toit d'un kiosque que les branches de platane de ses mèches folles effleuraient légèrement :

— C'était à l'époque où les maux de dents parlaient, dit-elle.

Elle possédait le genre de timbre de voix que devait avoir Marlène Dietrich dans sa jeunesse.

— Aucune de mes dents ne me fait mal parce qu'elles sont toutes postiches, l'informa le médecin. Je viens seulement les remplacer par des crocs de requin pour mieux avaler les poissons de l'aquarium de ma marraine.

— Moi, je suis ici pour assassiner le dentiste, déclara la rousse. Perry Mason vient de m'enseigner la technique.

Quand tu étais au lycée, tu résolvais sûrement les équations du second degré en un éclair, pensa le psychiatre que les femmes pragmatiques effrayaient : son univers avait toujours été celui du rêve confus et divaguant, sans table de logarithmes qui pût le décoder, et il s'adaptait difficilement à l'idée d'une vie agencée de facon géométrique, à l'intérieur de laquelle il se sentirait désorienté comme une fourmi sans boussole. D'où la sensation qu'il existait seulement dans le passé et que les jours glissaient à reculons, comme les anciennes horloges dont les aiguilles se déplacent à l'envers à la recherche des défunts des portraits de famille, ramenés lentement à la vie par la résurrection des heures. Les grands-parents du Brésil étiraient hors de l'album leurs barbes jaunâtres, des crinolines gonflaient dans les tiroirs des photographies, des cousins lointains, en guêtres, bavardaient dans le salon, M. Barros & Castro récitait Gomes Leal[1] avec une intonation précieuse. Quel âge puis-je avoir ? se demanda-t-il, procédant à la vérification périodique de son être qui lui permettait une entente précaire avec la réalité extérieure, substance visqueuse dans laquelle ses pas s'enfonçaient, perplexes, sans but. Ses filles, sa carte d'identité et son poste à l'hôpital l'ancraient encore un peu dans le quotidien mais par des fils si ténus qu'il avançait en planant, petite semence poilue qui, de souffle en souffle, volait au hasard. Depuis qu'il s'était séparé de sa femme, il avait perdu son lest et sa signification : ses pantalons flottaient autour de sa taille, des boutons manquaient à ses cols de chemises, il commençait peu à peu à ressembler à un vagabond asocial dont le menton soigneusement rasé révélait les cendres d'un passé décent. Ces derniers temps, en s'observant dans le miroir, il trouvait que ses propres traits devenaient inhabités, les plis de son sourire cédaient la place aux rides du découragement. Dans son visage, le front occupait de plus en plus de place : d'ici peu, il se ferait la raie à la hauteur des oreilles et croiserait sur sa calvitie six ou sept mèches poisseuses de fixateur, pour sauvegarder une ridicule

1. Gomes Leal, Antonio Duarte (1848-1921). Poète et journaliste portugais, auteur de pamphlets, figure populaire de la Lisbonne révolutionnaire et bohème de 1880 à 1910.

illusion de jeunesse. Il se souvint soudain du soupir nostalgique de sa mère :

— Mes fils sont si beaux jusqu'à trente ans.

Et il désira désespérément revenir à la ligne de départ, sur laquelle les vœux de victoire sont non seulement permis mais impérieusement souhaitables : le domaine des projets qui ne se réalisent jamais était un peu sa patrie, son quartier, la maison dont il connaissait par cœur les moindres recoins, les chaises bancales, les insectes, les odeurs intimes, les lames de parquet qui grincent.

— Voulez-vous dîner avec moi ce soir ? demanda-t-il à la rousse qui peaufinait ses intentions criminelles en utilisant les déductions médiocres de Perry Mason, alignant des syllogismes d'une implacable stupidité devant le tribunal.

L'hémophile l'appela du couloir : il nota à la hâte le numéro de téléphone sur un morceau de page arraché à la revue missionnaire où un groupe de sacristains cannibales communiaient sous les saintes espèces avec un appétit évident (« À sept heures ? À sept heures et demie ? Vous reviendrez de chez le coiffeur à sept heures et demie ? ») et il se dirigea vers le cabinet du dentiste en imaginant des cuisses rousses répandues dans les draps avec l'abandon satisfait qui suit l'amour, le pubis et ses taches de rousseur, l'odeur de la peau. Il s'assit dans le fauteuil des supplices, entouré d'instruments perfides, fraises, sondes, bistouris, daviers, une gencive sur un plateau, absorbé par l'excitante tâche d'imaginer l'appartement de la fille : des coussins par terre, des livres du club des lecteurs sur les étagères, des bibelots de femme seule récupérant son innocence au moyen d'animaux en peluche, des photographies célébrant des idylles défuntes, une amie à lunettes et à vilaine peau en train de discuter de la gauche en exhalant des bouffées antibourgeoises de Três Vintes. Dans ses accès de misogynie le médecin avait l'habitude de classifier les femmes selon les cigarettes qu'elles utilisaient : la race Marlboro-sans-être-de-contrebande lisait Gore Vidal, passait l'été à Ibiza, trouvait Giscard d'Estaing et le prince Philip très « choux » et considérait l'intelligence comme une étrange corvée ; le type Marlboro-de-contrebande s'intéressait au design, au bridge et à Agatha Christie (en anglais), fréquentait la piscine du Muxaxo, et la culture lui apparaissait comme un phénomène vaguement amusant quand il allait de pair avec l'amour du golf ; le genre SG-Gigante appréciait Jean Ferrat, Truffaut et *le Nouvel Observateur,* votait socialiste et entretenait avec les hommes des relations à la fois émancipées et iconoclastes ; les membres de la classe SG-Filtre avaient le poster de Che Guevara accroché au mur de leurs chambres, se nourrissaient spirituellement de Reich et de revues de décoration intérieure, ne réussissaient pas à s'endormir sans comprimés et campaient le week-end sur les rives du lac d'Albufeira tout en conspirant pour créer un cercle d'études marxistes ; le style Português-Suave ne se maquillait pas, se coupait les ongles très courts, étudiait l'Antipsychiatrie et se mourait de passions cachées pour des chanteurs engagés très laids, portant une chemise de Nazaré déboutonnée et affichant des idées sociales péremptoires et schématiques ; finalement, les lumpen confectionnaient leurs propres cigarettes et languissaient en écoutant les Pink Floyd sur des tourne-disques à piles à côté de la Suzuki de leur ami du moment, adolescent vantant les amortisseurs Koni au dos de leur blouson de plastique. En marge de cette taxinomie simplifiée se situait le groupe du Fume-Cigarette, propriétaires ménopausées de magasins de vêtements, d'antiquités et de restaurants à Alfama, arborant des bracelets marocains cliquetants, dames qui sortaient directement des efforts des instituts de beauté pour atterrir dans les bras d'hommes trop jeunes ou trop vieux, qui, tels des jardiniers, soignaient leurs mélancolies et leurs exigences en les installant dans des duplex à Campo de Ourique, inondés par la voix de Ferré et les figurines de Rosa Ramalho[1], et où les lampes à éclairage indirect baignaient leurs seins vieillis dans une pénombre pudique et favorable. Toi, pensa-t-il, pendant que le dentiste, sorte de Méphistophélès sarcastique, pointait sur ses pupilles une terrible lumière de ring, toi, pensa-t-il en se référant à sa femme, tu as toujours échappé à la dérision et à l'ironie par lesquelles je cherche à cacher la tendresse dont j'ai honte et les sentiments qui me terrifient, peut-être parce que depuis le début tu as senti que, sous le défi, l'agressivité, l'arrogance, se cachaient un appel désespéré, un cri d'aveugle, le regard navrant d'un sourd qui ne comprend pas et

1. Rosa Ramalho (1888-1977). Potière qui, depuis l'âge de sept ans jusqu'à sa mort, modela des figurines religieuses ou des personnages un peu surréalistes inspirés de ses rêves.

cherche en vain à déchiffrer, sur les lèvres des autres, les paroles apaisantes dont il a besoin. Tu es toujours venue sans que je t'appelle, tu as toujours soulagé ma souffrance et ma peur, nous avons grandi côte à côte en apprenant l'un avec l'autre la communion de l'isolement partagé, comme lorsque je suis parti, sous la pluie, pour l'Angola et que tes yeux secs me disaient adieu sans parler, pierres noires conservant à l'intérieur comme l'essence de l'amour. Et il se souvint du corps couché sur le lit l'après-midi à Marimba, sous les énormes manguiers remplis de chauves-souris qui attendaient la nuit, suspendues par les pieds comme des parapluies carnivores (une amie les appelait les anges des souris), et sa fille aînée, qui commençait alors à marcher, allait vers elles en trébuchant et en s'accrochant aux murs. Nous ne supportons guère les défis, pensa le psychiatre au moment où le dentiste lui accrochait l'aspirateur au coin de la bouche, nous ne supportons guère les épreuves et finissons presque toujours par fuir, épouvantés par la première difficulté qui apparaît, vaincus sans combat, chiens maigres qui rôdent derrière les hôtels, trottant menu pour assouvir leur faim. Le son de la roulette qui s'approchait avec une férocité de guêpe le réveilla et le ramena à la réalité de la douleur imminente quand ce minuscule Black et Decker toucherait sa molaire. Le médecin saisit les bras du fauteuil des deux mains, comprima les muscles de son ventre, ferma avec force ses paupières et, comme il avait l'habitude de le faire devant la souffrance, l'angoisse et l'insomnie, il se mit à imaginer la mer.

Au-dehors, les rues se succédaient, un trottoir au soleil et l'autre à l'ombre, comme des boiteux chaussés de souliers différents, et à la porte du cabinet le médecin s'attarda, palpant ses mandibules endolories pour s'assurer qu'il continuait à exister du haut en bas, c'est-à-dire plus bas que ses yeux : depuis qu'il avait vu en Afrique des orbites de crocodile dérivant dans le fleuve, à la recherche des corps qu'elles avaient perdus, depuis lors il avait peur de se vider de lui-même et de flotter, sans le lest de ses intestins, parmi les aveugles qui beuglent aux coins des rues avec leurs accordéons rhumatisants de Chopin du paso doble. Cette ville, qui était la sienne, lui offrait toujours, au travers de ses avenues et de ses places, le visage infiniment variable d'une amante capricieuse que les arbres obscurcissaient du cône d'ombre de remords mélancoliques, et il lui arrivait de trébucher sur les Neptunes des bassins comme un ivrogne, en se détachant d'un réverbère, affronte la mâchoire féroce d'un flic dépourvu d'humour, culturellement nourri par les fautes de grammaire de son brigadier. Toutes les statues pointaient le doigt vers la mer, invitant à partir vers les Indes ou à se suicider discrètement, selon l'état d'âme et le niveau du désir d'aventure présent dans le réservoir de l'enfance : le psychiatre observait les remorqueurs-déménageurs poussant d'énormes pétroliers-pianos, et leur déléguait l'effort corporel et spirituel qu'il avait renoncé à accomplir, assis à l'intérieur de lui-même comme les vieux Esquimaux abandonnés dans la glace, dépouillés de leurs sentiments par l'agonie boréale qui les habite. En revenant de la guerre, le médecin, qui s'était entre-temps habitué à la forêt, aux plantations de tournesol et à la notion du temps, patiente et éternelle, des Noirs pour qui les minutes, soudain élastiques, pouvaient durer des semaines entières d'expectative tranquille, avait dû procéder à un pénible effort d'accommodation intérieure avant de se réhabituer aux immeubles d'*azulejos* qui constituaient ses paillotes natales. La pâleur des visages l'incitait à diagnostiquer une anémie collective, et le portugais parlé sans accent lui paraissait aussi dépourvu de charme que la vie quotidienne d'un gratte-papier. Des individus serrés dans les cilices de leurs cravates s'agitaient autour de lui en posant avec hargne des questions sans importance : le dieu Zumbi, maître du Destin et des Pluies, n'avait pas dépassé l'équateur, séduit par un continent où même la mort possédait l'impétueuse allégresse d'un accouchement triomphal. Entre l'Angola qu'il avait perdu et Lisbonne qu'il n'avait pas retrouvée, le médecin se sentait doublement orphelin, et cette condition d'homme dépaysé avait continué à se prolonger douloureusement parce que beaucoup de choses avaient changé en son absence, les rues se repliaient en des coudes imprévus, les antennes de télévision effrayaient les pigeons et les chassaient vers le fleuve, les obligeant à un destin de mouettes, des rides inattendues conféraient à la bouche de ses tantes des expressions de Montaigne déçus, la multiplication d'événements familiaux le rejetait vers la préhistoire du feuilleton dont il dominait seulement les accidents paléolithiques. Des cousins qu'il avait quittés en culottes courtes grommelaient dans leur barbe naissante une révolte qui le dépassait, on célébrait des défunts qu'il avait laissés en train de collectionner les obligations du Trésor sur lesquelles ils avaient reporté leur manie infantile d'amasser des capsules de bouteilles ; au fond c'était comme si, à travers lui, revivait un frère Luis de Sousa[1] en blazer.

De sorte que, durant ses après-midi libres, il chevauchait sa petite voiture toute bosselée et procédait méthodiquement à la vérification de la ville, quartier par quartier et église par église, au cours de pèlerinages qui se terminaient invariablement sur le quai de la Rocha do Conde de Obidos, endroit d'où il était parti un jour pour une aventure forcée et avec lequel il entretenait malgré tout les relations intimes, respectueuses et masochistes que les victimes conservent avec les bourreaux à la retraite. Le cabinet du

1. Frei Luis de Sousa : personnage-titre d'une pièce d'Almeida Garrett (1799-1854) où João de Portugal, que tout le monde croyait mort à la guerre, revient au bout de vingt ans dans son foyer pour trouver sa femme remariée.

dentiste se situait dans une zone de Lisbonne atypique comme un régime d'hépatite, où les vendeurs de fleurs déposaient sur le trottoir les paniers de leurs printemps moribonds qui diffusaient dans l'air une atmosphère de veillée mortuaire ; cela lui rappelait le soir où il était allé dîner près du château de São Jorge, dans un restaurant français où le prix des plats l'obligeait à avaler des comprimés contre les aigreurs d'estomac que la douceur du filet mignon lui aurait épargnées. C'était la mi-carême et la ville s'habillait d'une espèce de carnaval mystico-profane faisant songer à une femme nue dont les bijoux de verroterie scintillent : de vagues relents de défilés populaires bouillonnaient dans les gouttières, des notaires affichant une gaieté funèbre envahissaient Alfama avec leurs mines de Dracula. La place où se trouvait le restaurant, suspendue au-dessus du fleuve tel un zeppelin de maisons basses, tordues de coliques comme dans les tableaux de Cézanne, était peuplée d'arbres concentrant en eux-mêmes une immense quantité de ténèbres, ombres que le vent entrechoquait comme des sous dans une poche, monnaie de branches et de feuilles enceintes d'oiseaux qui dormaient. Des Anglais maigres comme des points d'exclamation dépourvus de véhémence débarquaient de taxis dont les moteurs ronronnants trahissaient des vocations contrariées de chalutiers. Entre les mailles du bruit on pressentait la texture concave du silence, le même silence qui habitait, menaçant, la peur du noir héritée des terreurs de l'enfance, et le psychiatre, intrigué, cherchait l'origine de ce phénomène de fenêtre en fenêtre jusqu'au moment où il aperçut, au rez-de-chaussée, une porte grande ouverte sur une pièce vide, sans gravures ni rideaux, meublée seulement par un cercueil couvert d'un drap noir, posé sur deux bancs, et habitée par une femme entre deux âges avec des larmes figées sur ses joues, créature du *Cuirassé Potemkine*, statue tragique du chagrin.

Peut-être est-ce cela la vie, pensa le médecin en enjambant un panier de chrysanthèmes pour rejoindre sa voiture noyée sous les corolles comme un cadavre de commandeur, un défunt au centre et saint Antoine à son côté, le noyau de la tristesse enveloppé dans la pulpe joviale de sardines grillées et de gerbes de fusées, et il pensa que son mal de dents réveillait en lui les images conventionnelles de *Modas & Bordados* qui constituaient le véritable fond de son âme : quand il était angoissé, réapparaissaient, intacts, son mauvais goût, sa foi en Jésus-Christ et le désir de se marsupialiser dans le premier giron venu, matériaux authentiques qui persistaient sous le vernis du mépris. Il mit le moteur en marche pour échapper à cette île de pétales mielleux, dont il bondit comme un dauphin lacustre dans un hoquet de bielles, et il descendit vers la place Martim-Moniz en éparpillant des tiges de fleurs, exactement comme la Vénus de Botticelli redessinée par Cesario Verde[1] : le *Sentiment d'un Occidental* était un peu ses sous-vêtements, caleçons d'alexandrins jamais ôtés, même pendant les minutes ardentes d'une relation furtive.

1. Cesario Verde (1855-1886). Poète étonnamment moderne pour son époque.

L'avenue Almirante-Reis, éternellement grise, pluvieuse et triste sous le soleil de juillet, alternativement balisée par des crieurs de journaux et des invalides, trottait en direction du Tage entre deux gencives d'immeubles cariés, comme un monsieur serré dans des chaussures neuves se hâtant vers l'arrêt du tram. Des négociants à l'œil vif refilaient des montres de contrebande sur les esplanades auxquelles les cireurs de chaussures, accroupis sur leurs pots de chambre de planches, conféraient une dimension insolite de crèche. Dans des cafés immenses évoquant des piscines vides, des chômeurs solitaires attendaient le Jugement Dernier devant des cafés au lait immémoriaux et des toasts datant de l'âge tertiaire, congelés dans une attitude expectative. Des salons de coiffure peuplés de cafards proposaient aux maîtresses de maison en mal d'imagination des solutions capillaires imprévues, et des merceries poussiéreuses leur donneraient la touche finale de soutiens-gorge de dentelle, moustiquaires thoraciques capables de ravigoter par des érections formidables vingt-cinq ans de résignation conjugale. Le psychiatre aimait les petites rues transversales qui alimentaient ce lent fleuve majestueux de mercières supplémentaires et de magasins de chaussures de banlieue, poussant vers le quartier de la Baixa un univers provincial, des morceaux de Póvoa de Santo Adrião[1] à la dérive dans Lisbonne, des brasseries inattendues tapissées de pelures de lupin : il respirait

1. Póvoa de Santo Adrião : commune située au nord de Lisbonne et qui a été défigurée par les promoteurs.

mieux loin des grands magasins, des caissiers compétents et mieux habillés que lui, des régicides à cheval gesticulant dans leurs élans de bronze. Quand il était enfant, il passait de longues heures dans le magasin de charbon voisin de la maison de ses parents, où un géant barbouillé de suie fabriquait de petites briques et menaçait sa femme de tripotées monstrueuses, et pendant le déjeuner il lui arrivait de suspendre sa fourchette afin d'écouter l'écho sourd de ces amours énergiques : s'il avait pu choisir, il se serait certainement barricadé derrière des commodes quouinanes et des vases de roses en plastique et, s'il avait été malade, il aurait exigé que l'oxygène de l'hôpital soit parfumé à l'ail.

Sur la place de Figueira, où l'on commence à deviner la présence proche des mouettes à cause de l'agitation des moineaux, de la même façon que l'ombre d'un sourire annonce une réconciliation imminente, sa molaire ne lui faisait absolument plus mal, domestiquée par les assauts du dentiste qui l'avait réduite à la médiocrité de l'anonymat : chez ce professionnel de la roulette, il y avait quelque chose d'un pion de collège, prêt à calmer à coups de bâton les velléités des originaux. Don João IV, héros problématique, regardait fixement de ses orbites creuses une rangée de balcons, bureaux de représentation représentant le moisi, le tabac froid et l'humidité. On devinait des chasses d'eau en panne derrière chaque mur, des invalides du commerce chez chaque adolescent hirsute, des ménopauses désespérées chez les femmes policiers. Le médecin atteignit la rue d'Ouro, vidée de ses agents de change, droite comme les intentions d'un chanoine vertueux, et il se dirigea vers un parking près du fleuve, où, de tout temps, il avait promené sa solitude, parce qu'il appartenait à une catégorie de personnes qui savent seulement souffrir au-dessus de leurs moyens. Là, sur un banc en bois, il avait lu Marc Aurèle et Épictète des après-midi d'affilée pour conjurer un lointain amour perdu. Les vagues s'entortillaient autour de ses pieds avec une fraternité canine, comme s'il pouvait se laver des injustices du monde à partir des chevilles.

Il gara sa voiture à côté d'une caravane immatriculée en Allemagne, dans la saleté de laquelle on déchiffrait des frémissements d'aventure tempérés par la pudeur domestique des rideaux à petits pois, et il baissa sa vitre pour humer l'eau boueuse où des hommes et des femmes, envasés jusqu'aux genoux, remplissaient d'appâts des boîtes rouillées. Les moissonneurs de la marée basse, se dit-il, hérons produits par le fascisme, échassiers de la faim et de la misère. Les vers de Sophia Andresen[1] lui revinrent en mémoire, faisant rouler le tambour dans ses veines en bataille :

Ces gens dont le visage
Parfois lumineux
Et parfois fruste

Tantôt me rappelle des esclaves
Tantôt me rappelle des rois

1. Sophia Andresen (Sophia de Mello Breyner), née en 1919. Poétesse et auteur de contes pour enfants.

Font renaître mon envie
De lutter et de combattre
Contre le serpent et la couleuvre
Le cochon et le milan.

La circulation s'écoulait bruyamment dans son dos, propulsée par les manches impérieuses des agents perchés sur des piédestaux de cirque, dompteurs aux gestes aériens de danseurs. Des magasins d'oiseaux s'envolaient entre des boutiques d'alimentation et des drogueries ornées de bottes de balais pendant du plafond comme des fruits poilus, et quelques mansardes montaient aussi, verticalement, vers le ciel, portées par les plumes des vêtements qui séchaient de balcon en balcon, ailes de chemises déteignant contre les joues des façades. L'édifice massif de l'Arsenal, nostalgique d'impossibles naufrages, verdissait de mousses marines. Plus loin, au-dessus d'une ligne d'arbres et de flèches d'églises, un cimetière étendait la nappe blanche de ses tombeaux comme des dents de lait : les quatre coups de quatre heures de l'après-midi résonnaient doucement dans les horloges municipales, dont les tintements de cloche semblaient contemporaines de Fernão Lopes[1], tranquilles comme les tragédies mortes. Les trains de Cais do Sodré emmenaient vers Estoril les premiers joueurs et les derniers touristes, Norvégiens à l'index perdu sur le plan de la ville, et les rues et le fleuve commençaient à

1. Fernão Lopes (1380-1458). Chroniqueur portugais qui a écrit l'histoire de plusieurs rois.

confluer dans cette même paix estivale, horizontale, que les usines de Barreiro coloraient d'une fumée rouge prolo, anticipation du couchant. Un cargo remontait la barre, poursuivi par une couronne de mouettes voraces, et le psychiatre pensa que ses filles auraient aimé être ici, avec lui, en ce moment, déversant sur lui une pluie de questions extasiées. Le désir de les voir se superposa peu à peu aux corps des moissonneurs du rivage, s'appelant avec des cris qui lui parvenaient déformés ou étouffés par la réfraction de l'air, réduits à des scintillements d'échos que le vent moulait comme des voiles de sons ; le poids de Lisbonne collait à son dos telle une bosse d'immeubles et les chiens errants flairaient en vain tout autour d'eux le message d'urine du pékinois idéal. Les minuscules visages de ses filles possédaient le douloureux contour de son remords, et il tentait vainement, le week-end, de les séduire avec une indulgence excessive et une tendresse visqueuse, roi mage prodigue en chocolats qu'elles ne lui demandaient même pas. Savoir que le soir il ne serait pas avec elles pour le baiser du coucher, lourd déjà de la lassitude du sommeil, qu'il n'irait pas sur la pointe des pieds chasser leurs cauchemars, en murmurant à leurs oreilles les mots d'amour du vocabulaire secret commun à Donald et à Blanche-Neige, que, le matin, son absence dans le lit conjugal était devenue une habitude acceptée sans surprise, le faisait se sentir coupable de l'horrible crime de les abandonner. Il pouvait seulement, pendant la semaine, les épier en cachette comme un agent secret, être le José Matias de deux

Elise[1] irrémédiablement perdues, qui poursuivaient des trajectoires différentes de la sienne, petites parcelles de son sang qu'il suivait, déchiré, de loin, de plus en plus loin. Sa désertion les avait certainement déçues et déconcertées, elles attendaient encore son retour, ses pas dans l'escalier, ses bras ouverts, son rire de jadis. La phrase de son père tournoyait en spirale dans sa tête

— La seule chose qui me fasse de la peine, c'est tes deux filles

chargée d'une émotion contenue dans laquelle on devinait chez lui la pudeur des sentiments qu'il avait apprise à connaître et admirer seulement après son adolescence, et il se sentit vil et méchant comme un animal malade, réduit aux asphyxiantes proportions d'un présent sans futur. Il avait fait de sa vie une camisole de force dans laquelle il lui était impossible de bouger, ligoté par les courroies du dégoût de lui-même et de l'isolement qui l'imprégnait d'une amère tristesse ne connaissant aucune aurore. Une horloge sonna la demie de quatre heures : s'il conduisait suffisamment vite, il arriverait à temps pour la sortie de l'école, acte libérateur par excellence, victoire du rire sur la stupidité fatiguée : quelque chose en lui, venant du plus profond de sa mémoire, s'obstinait à lui assurer, contredisant le terrible poids officiel des tables d'addition, qu'il existe un tableau noir quelque part, peut-être dans le grenier du grenier ou la cave de la cave, qui affirme que deux et deux ne font pas quatre.

1. José Matias et les deux Elise sont des personnages d'un conte d'Eça de Queiros.

Caché par le chariot à glaces qui ronronnait tel un ours polaire somnolent devant la vitrine d'une pâtisserie, le psychiatre, plié en deux, épiait le portail du collège dans la posture du Peau-Rouge qui attend, derrière son rocher, l'arrivée des éclaireurs blancs. Il avait laissé son fidèle cheval noir trois ou quatre cents mètres plus haut, près de la forêt de Benfica et de ses tourterelles obèses, faucons recyclés pour des raisons de survie citadine qui oblige le Grand Manitou lui-même à se déguiser en Rédempteur, et il s'était approché en rampant de platane en platane, observé avec étonnement par les vendeurs ambulants de porte-monnaie et de lacets, frères guerriers dont l'activité belliqueuse se résumait à des fuites boitillantes à l'approche de la police, poussant devant eux les plateaux de scalps de leur camelote inutile. Maintenant, à l'abri des glaces au chocolat, scrutant l'horizon de la rue avec des pupilles d'aigle myope, le médecin lançait dans l'air de la prairie les signaux de fumée d'une cigarette nerveuse qui traduisait, syllabe après syllabe, l'étendue de son anxiété.

Dans l'immeuble situé en face de celui où il se cachait, habitait, au milieu de chats et de photographies dédicacées d'évêques en vogue, une vieille tante escortée par une servante borgne, vénérables squaws de la tribu familiale, auxquelles rendaient visite à Noël des excursions de parents incrédules, surpris par leur longévité et leur combativité. Secrètement le psychiatre ne leur pardonnait pas d'avoir survécu à sa grand-mère qu'il avait beaucoup aimée et dont le souvenir l'attendrissait encore quand il était déprimé, il allait chez elle, entrait dans le salon, et l'informait sans la moindre honte :

— Je viens pour me faire cajoler.

Et il posait sa tête sur les genoux de la vieille dame pour que ses doigts, en caressant sa nuque, apaisent ses colères sans raison et son désir avide de tendresse : depuis sa seizième année, les uniques changements importants qui comptaient à ses yeux se résumaient à la mort des trois ou quatre personnes qui nourrissaient pour lui une affection constante, malgré les ruades de ses caprices. Son égoïsme mesurait le pouls du monde selon l'attention qu'il en recevait : il ne s'était réveillé pour constater l'existence des autres que trop tard, quand la plupart des gens lui avaient tourné le dos, dégoûtés par sa stupide arrogance et le mépris sarcastique qui lui servait à cristalliser sa timidité et sa peur. Dépourvu de générosité, de tolérance et de douceur, il se souciait seulement de ce que l'on se souciât de lui, faisant de sa personne le thème unique d'une symphonie monotone. Il lui arrivait même de demander à ses amis comment ils parvenaient à vivre loin de son orbite égocentrique, dont les romans et les poèmes qu'il projetait sans les écrire formaient comme un prolongement narcissique sans connexion avec la vie, architecture vide de mots, design de phrases dénuées d'émotion. Spectateur extasié de sa propre souffrance, il projetait de reformuler le passé alors qu'il n'était pas capable de lutter pour le présent. Lâche et vaniteux, il évitait de se regarder dans les yeux, de comprendre sa réalité de cadavre inutile, et de commencer le douloureux apprentissage consistant à être vivant.

Des grappes de mères de son âge (fait qui continuait à le surprendre parce qu'il avait du mal à admettre qu'il vieillissait) commençaient à se former à la porte du collège, s'agitant comme des poules pondeuses, et le médecin pensa monter chez sa vieille tante où, retranché derrière le portrait du Cardinal Patriarche qui ressemblait à un clown riche, il réussirait à observer la sortie des classes d'un angle facile de franc-tireur, déchargeant sa nostalgie par les doubles canons de ses cernes. Mais l'orbite aveugle de la bonne, qui le poursuivrait implacablement de chat en chat et d'évêque en évêque, fouillant l'intérieur de son âme à la lumière laiteuse de sa cataracte, l'obligea à renoncer à son projet à la Lee Oswald : il se savait trop fragile pour supporter cet interrogatoire silencieux compensé par les manifestations de joie des vieilles, qui n'hésiteraient certainement pas à lui répéter pour la millionième fois l'histoire tourmentée de sa naissance, nourrisson violet étouffant dans ses sécrétions à côté de sa génitrice souffrant d'éclampsie. Résigné à rester dans la tranchée de la pâtisserie, dont le percolateur hennissait de la vapeur par ses narines impatientes de pur-sang d'aluminium, il appuya les coudes sur l'iceberg électrique de la glacière comme un Esquimau enlaçant son igloo, et il continua d'attendre à côté d'un mendiant cul-de-jatte, posé sur une couverture, qui tendait ses deux doigts à la hauteur des genoux des passants.

Comme en Afrique, pensa-t-il, exactement comme en Afrique, observant l'arrivée miraculeuse du crépuscule sur la place de Marimba, pendant que les nuages obscurcissaient le fleuve Cambo et que la Baixa do Cassanje se peuplait de l'écho du tonnerre. L'arrivée du crépuscule et celle du courrier que la colonne apportait, tes longues lettres humides d'amour. Toi malade à Luanda, la petite loin de nous deux, et le soldat qui se suicida à Mangando, se coucha dans la chambrée, appuya son arme sur son menton, dit Bonsoir, et l'on retrouva des morceaux de dents et d'os enfoncés dans le zinc du plafond, des taches de sang, de la chair, des cartilages, la moitié inférieure de son visage était transformée en un horrible trou, il agonisa durant quatre heures, sursautant comme une grenouille, étendu sur la table d'examen de l'infirmerie, le caporal tenait fermement la lampe à pétrole qui projetait sur les murs de grandes ombres confuses. Mangando et les aboiements des otocyons dans les ténèbres, chiens squelettiques aux oreilles de chauve-souris, aubes aux étoiles inconnues, la femme du soba[1] de Dala et ses jumeaux malades, les indigènes venus pour la consultation tremblant de palu-

1. Soba : chef de village en Angola.

disme sur les marches du poste, les chemins ravagés par la violence de la pluie. Un jour, nous étions assis après le déjeuner près du fil de fer barbelé, sur cette espèce de pierre tombale où sont peints les écussons des bataillons, et voilà que surgit de la route de Chiquita une faramineuse voiture américaine couverte de poussière avec un monsieur chauve à l'intérieur, un civil tout seul, ni agent de la PIDE, ni fonctionnaire, ni chasseur, ni membre d'une brigade antilèpre, mais photographe, un photographe muni de ces appareils à trépied qu'on voit sur les plages et dans les foires, d'un archaïsme invraisemblable, proposant de nous tirer le portrait à tous, séparément ou ensemble, cadeaux pour envoyer dans une lettre à la famille, souvenirs de guerre, sourires fanés de l'exil. Il n'y avait pas de nourriture pour bébés à Malange et notre fille retourna au Portugal maigre et pâle, avec la couleur jaunâtre des Blancs d'Angola, rouillée de fièvre, un an à dormir dans un lit en bois de palmier à côté de nos lits de camp, j'étais en train de faire une autopsie à l'air libre à cause de l'odeur quand on m'a appelé parce que tu t'étais évanouie, je t'ai trouvée épuisée sur une chaise faite de planches de tonneau, j'ai fermé la porte, je me suis blotti auprès de toi en répétant Jusqu'à la fin du monde, jusqu'à la fin du monde, jusqu'à la fin du monde, empli de la certitude que rien ne pouvait nous séparer, comme une vague vers la plage vers toi va mon corps, s'exclama Neruda et il en était ainsi pour nous, et il en est ainsi pour moi, seulement je ne suis pas capable de te le dire ou je te le dis quand tu n'es pas là, je te le dis tout seul, éperdu de l'amour que j'ai pour toi, nous nous sommes trop blessés, trop meurtris, nous avons tenté de nous tuer à l'intérieur l'un de l'autre, et malgré cela, souterraine et immense, la vague continue et comme vers la plage la moisson de mon corps s'incline vers toi, épis de doigts qui te cherchent, essaient de te toucher, s'accrochent à ta peau avec une force d'ongles, tes jambes minces me serrent la taille, je monte l'escalier, je frappe au loquet, j'entre, le matelas connaît encore la forme de mon sommeil, je suspends mes vêtements sur la chaise, comme une vague vers la plage comme une vague vers la plage comme une vague vers la plage vers toi va mon corps.

Teresa, la bonne, surgit de l'avenue Grão-Vasco où les feuilles des mûriers transforment le soleil en une lampe verte d'aquarium, scintillant de reflets tamisés, de sorte que les passants donnent parfois l'impression qu'ils flottent dans la lumière évoluant dans des attitudes ondoyantes de poissons, et elle passa devant lui marchant de son pas lent de vache sacrée, que son sourire dépourvu de méchanceté adoucissait. Si Teresa ne m'a pas vu, personne ne me verra, pensa le médecin en s'appuyant davantage sur l'iceberg jusqu'à sentir sur son ventre le contact lisse de l'émail : un petit effort supplémentaire et il traverserait la paroi du congélateur, cocon dans lequel les larves humaines courent le risque de se métamorphoser en cassate : être mangé à la cuillère au cours d'un dîner de famille lui parut soudain un sort agréable. Le mendiant à la couverture, qui comptait sa recette, pensa avoir deviné ses intentions.

— Si tu vas faucher des glaces, prends-en une aussi pour ma pomme. À la vanille, pour que ça ne bousille pas mon ulcère.

Une dame qui sortait de la pâtisserie, un paquet suspendu à chaque doigt, considéra avec terreur cette étrange paire de criminels qui complotait un sinistre vol de glaces, et s'éloigna en courant vers Damaia, craignant peut-être que nous ne la menacions avec des pistolets en sucre. Le mendiant, chez qui sommeillait un esthète, regarda avec plaisir la largeur de ses cuisses :

— Un cul de première.

Et autobiographique :

— Avant mon accident je m'en tapais une tous les dimanches. Des nanas d'Arco do Cego pour le prix du raisin-pisse[1], mais les putes de maintenant coûtent la peau des fesses, plus cher que la morue.

Un tourbillon d'enfants auprès du portail de l'école annonça au psychiatre la fin des cours : le mendiant s'agita sur sa couverture, de mauvaise humeur :

— Ces saloperies de gosses me volent plus qu'ils ne me donnent de fric.

Et le médecin se demanda si cette phrase d'un homme irrité ne portait pas le germe d'une vérité universelle, ce qui l'amena à regarder son associé avec un respect nouveau : Rembrandt, par exemple, ne finit pas ses jours beaucoup plus prospère qu'au début, et il n'est pas impossible de trouver un Pascal chez l'employé des eaux : Antonio Aleixo[2] vendait des billets de loterie, Camões[3] écrivait des lettres

1. Raisin-pisse : raisin impropre pour le vin et la consommation que l'on vendait très bon marché à Lisbonne autrefois.

2. Antonio Aleixo, poète populaire portugais, presque illettré.

3. Camões, Luís de (1524 ?-1580). Le plus grand poète épique portugais.

dans la rue pour les analphabètes, Gomes Leal composait des alexandrins sur le papier timbré de l'étude notariale où il travaillait. Des dizaines de prix Nobel en blue-jeans défient la police durant les manifestations maoïstes : à notre époque étrange, l'intelligence paraît stupide et la stupidité intelligente, et il devient salutaire de se méfier des deux à la fois par prudence de même que, lorsqu'il était petit, on lui conseillait de se tenir à distance des messieurs trop aimables qui abordent les garçons aux alentours des lycées avec un éclat bizarre derrière leurs lunettes.

Le trottoir se remplissait d'élèves chaperonnés par leurs mères qui les poussaient vers leur domicile comme les vendeurs de dindons sur la place da Figueira à la veille de Noël, et le médecin pensa avec mélancolie Comme il est difficile d'éduquer les adultes, si peu sensibles à l'importance vitale d'un chewing-gum ou d'une boîte de pâte à modeler, si préoccupés par la connerie puérile des bonnes manières à table, ils adorent écrire des messages obscènes sur le marbre des urinoirs et détestent les inoffensifs coups de crayon sur le mur du salon. Le mendiant, qui aurait certainement compris ces élucubrations et bien d'autres, rangeait sa recette dans une poche de son gilet, à l'abri des serres rapaces des élèves, et il brandissait un certificat de tuberculose pour gagner les faveurs des contribuables indécis.

À ce moment, il aperçut ses filles au milieu d'un groupe d'adolescentes toutes pareilles dans leurs jupes écossaises, les cheveux blonds et lisses de l'aînée, les boucles châtain clair de la cadette, se frayant un chemin l'une derrière l'autre en direction de Teresa, et ses intestins, soudain trop volumineux pour son nombril, se gonflèrent de champignons de tendresse. Il avait envie de courir vers elles, de les prendre par la main et de partir avec elles, tous les trois, comme à la fin du *Grand Meaulnes*, vers de glorieuses aventures. L'avenir s'étendait devant lui en Panavision, réel et irréel comme un conte de fées tapissé par la voix de Paul Simon :

We were married on a rainy day
The sky was yellow
And the grass was gray
We signed the papers
And we drove away
I do it for your love

The rooms were mustly
And the pipes were old
All that winter we shared a cold
Drank all the orange juice
That we could hold
I do it for your love

Found a rug
In an old junk shop
And I brought it home to you
Along the way the colors ran
The orange bled the blue

The sting of reason
The splash of tears
The northern and the southern
Hemispheres

Love emerges
And it disappears
I do it for your love
I do it for your love

Teresa plaça sur la tête de chacune d'entre elles un béret rouge et blanc, et le psychiatre nota que la plus petite tenait dans ses bras sa poupée favorite, créature de chiffon aux yeux dessinés un peu au hasard sur la sphère chauve de son visage, et dont la bouche s'ouvrait dans une grimace pathétique de grenouille : elles dormaient ensemble dans le lit et entretenaient des relations de parenté complexes qui évoluaient selon l'humeur de la gamine et que je devinais confusément lors de mystérieuses phrases occasionnelles qui m'obligeaient à des exercices d'imagination perpétuels. L'aînée, que caractérisait une vision angoissée de l'existence, menait avec les choses inanimées le combat de Charlot contre les roues dentées de la vie, précocement promise à une victorieuse défaite. Tordu de coliques d'amour, le médecin avait l'impression d'avoir contracté en leur faveur une assurance de rêve, dont il payait les intérêts sous la forme des gaz de sa colite et des projets paralysés dans lesquels il languissait : l'espoir qu'elles arriveraient plus loin que lui l'animait de la joie des pionniers, persuadé que ses filles perfectionneraient la pauvre marmite de Papin de ses désirs, crachant par ses fissures artisanales des désillusions de fumée. Teresa prit congé de l'une de ses camarades d'armes dont les tibias supportaient l'agression classiste d'un bambin chez qui s'esquissait un gestionnaire, et elle se dirigea avec ses filles vers l'avenue, aquarium d'immeubles tremblant de l'ombre lumineuse des arbres.

The sting of reason
The splash of tears
The northern and the southern
Hemispheres

Love emerges
And it disappears
I do it for your love
I do it for your love

Penché comme le poète Chiado[1] sur son tabouret de bronze le médecin aurait pu les toucher quand elles faillirent le frôler en passant devant lui, les yeux fixés sur un canard en métal à l'entrée d'un bureau de tabac, qui pour vingt-cinq *tostões* oscillait et hochait la tête dans un galop épileptique. Il toussa d'émotion et le mendiant, sarcastique, tourna vers lui son crâne hirsute baigné d'un sourire féroce :

– Elles te font bander, hein, pauvre con ?

Et pour la deuxième fois, ce jour-là, le psychiatre eut envie de se vomir lui-même, longuement, jusqu'à vider tout le lest de merde qu'il portait.

1. Chiado, Antonio Ribeiro (mort en 1591). Poète, auteur de deux *autos* et d'œuvres religieuses dont la langue témoignait d'un réalisme incroyable pour l'époque. Allusion à la statue du poète où on le voit, assis, semblant parler, penché en avant et le bras levé.

Le médecin rangea sa voiture dans l'une des petites rues qui sortent du jardin des Amoreiras un peu comme les pattes d'un insecte dont la carapace serait faite de gazon et d'arbres, et il se dirigea vers le bar : il avait deux heures de liberté avant sa séance d'analyse et il avait pensé qu'il se distrairait peut-être de lui-même en observant les autres, surtout les spécimens qui se regardent dans la glace de leurs verres de whisky, poissons de six heures de l'après-midi au milieu de leur aquarium d'alcool, qui s'oxygènent avec l'anhydride carbonique des petites bulles d'eau Perrier. Ceux qui fréquentent les bars, se demandait-il, que font-ils le matin ? Et il s'imagina que, lorsque s'approchait la fin de la nuit, les buveurs devaient s'évaporer dans l'atmosphère raréfiée et enfumée, tel le génie de la lampe d'Aladin, jusqu'à ce que, à l'arrivée du crépuscule, ils reprennent chair, sourire et gestes lents d'anémone, les tentacules des bras se tendent vers le premier verre, la musique recommence à jouer, le monde revient sur ses rails habituels, et de grands oiseaux de faïence s'envolent du ciel de Formica de la tristesse.

Les arches de pierre au-dessus du jardin s'incurvaient tout comme des sourcils stupéfaits de se trouver là, si près de la confusion de fourmilière anarchique de la place du Rato, et le psychiatre eut l'impression qu'un visage vieux de plusieurs siècles était en train d'examiner, surpris et grave, les balançoires et le toboggan qui se trouvaient entre les arbres et qu'il n'avait jamais vu aucun enfant utiliser, abandonnés comme les carrousels d'une foire défunte : il n'aurait pas su expliquer pourquoi mais il se représentait toujours le jardin des Amoreiras comme un endroit solitaire et extrêmement mélancolique, même en été, et cela depuis les années lointaines où il s'y rendait une heure par semaine pour suivre des cours de dessin donnés par un gros type qui habitait un deuxième étage plein de modèles réduits d'avions en plastique : les craintes de ma mère, réfléchit le médecin, les éternelles craintes de ma mère à mon sujet, sa peur permanente de me voir un jour ramasser des vieux chiffons et des bouteilles dans les poubelles, un sac sur le dos, transformé en industriel de la misère. Sa mère n'arrivait pas à voir en lui un individu adulte et responsable : tout ce qu'il faisait, elle l'interprétait comme une sorte de jeu, et elle croyait détecter, sous sa relative stabilité professionnelle, le calme trompeur qui précède les cataclysmes. Elle avait l'habitude de raconter qu'elle avait accompagné son fils à son examen d'admission au lycée Camoens, et que, en épiant par la fenêtre de la classe, elle avait vu tous les enfants penchés sur leur copie, concentrés et attentifs, à l'exception du futur psychiatre, qui, le nez en l'air, totalement étranger à ce qui l'entourait, contemplait d'un air distrait la lampe du plafond.

— Et cet épisode m'a permis de comprendre immédiatement ce que serait sa vie, concluait sa mère avec le sourire triomphalement modeste d'un Bandarra[1] infaillible.

Pour être en paix avec sa conscience, toutefois, elle cherchait à combattre le destin en demandant tous les ans au directeur que l'on place son fils à un pupitre au premier rang, « juste devant le professeur », afin que le médecin absorbe de force les effluves de la décomposition des polynômes, la classification des insectes et autres notions d'utilité indiscutable, au lieu des vers qu'il écrivait en cachette sur ses cahiers de classe. Les études supérieures du psychiatre, remplies de péripéties, avaient pris pour elle les proportions d'une guerre de harcèlement, dans laquelle les vœux à Notre-Dame de Fatima alternaient avec les sanctions, les soupirs de chagrin, les prophéties tragiques et les plaintes à ses tantes, témoins désolés de tant de malheur, qui se sentaient toujours personnellement affectées par le plus insignifiant séisme familial. Maintenant, regardant la fenêtre du deuxième étage du professeur de dessin, le médecin se souvenait de son échec spectaculaire durant l'examen oral d'anatomie au cours

1. Bandarra, savetier, poète et prophète du XVIe siècle qui, en interprétant les textes sacrés, a annoncé l'arrivée de diverses figures messianiques.

duquel on lui avait mis entre les mains un flacon limoneux contenant l'artère sous-clavière, peinte en rouge au milieu d'un enchevêtrement de tendons pourris, il se rappelait à quel point le formol des cadavres irritait ses paupières et que, après avoir pesé sur la balance de la cuisine les quatre tomes du *Traité sur les os et les muscles et les articulations et les nerfs et les vaisseaux et les organes*, il s'était dit, devant ces six kilos huit cents grammes de science compacte :

— Je ne vais pas me faire chier à étudier ces conneries.

À cette époque il composait péniblement un long poème très mauvais inspiré par le *Pale Fire* de Nabokov, et il croyait posséder le vaste souffle du Claudel des *Grandes Odes* tempéré par l'économie de T.S. Eliot : l'absence de talent est une bénédiction, vérifia-t-il ; seulement il nous est difficile de nous habituer à cette vérité. Et une fois qu'il eut assumé sa condition d'homme ordinaire limité aux rares envols de perdrix d'un poème occasionnel, n'ayant pas la bosse de l'immortalité attachée à son dos, il se sentit libre de souffrir sans originalité et dispensé d'entourer ses silences du rempart d'intelligence taciturne qu'il associait au génie.

Le psychiatre fit le tour du jardin des Amoreiras en frôlant les maisons pour sentir l'odeur du soleil sur les façades, la clarté que la peinture à la chaux buvait comme les fruits la lumière. Sur un mur auquel adhéraient des vestiges d'affiches, telles des mèches de cheveux sur une nuque chauve, il lut une inscription au fusain :

LE PEUPLE
A LIBÉRÉ
LE CAMARADE
HENRIQUE TENREIRO.

Et le sigle des anarchistes en dessous, A ironique entouré d'un cercle. Un aveugle qui se déplaçait devant lui frappait le trottoir avec sa canne, produisant un bruit de castagnettes indécises : Ville morte, pensa le médecin, ville morte dans un cercueil d'*azulejos* qui attend et espère sans espoir celui qui ne viendra plus[1] ; aveugles, retraités, veuves, et Salazar qui, si Dieu le veut, n'est pas mort. Il y avait un malade dans son hôpital, originaire de l'Alentejo, homme très sérieux et très compassé, M. Joaquim, portant toujours un chapeau mou sur la tête et un bleu de travail impeccable, qui était en communication directe et permanente avec l'ancien président du Conseil qu'il appelait respectueusement « notre professeur », et dont il recevait des ordres secrets

1. *Celui qui ne viendra plus :* allusion au roi Sébastien (1554-1578) qui, animé par l'esprit des croisades, entreprit une expédition désastreuse au Maroc au cours de laquelle il fut tué. Comme l'on n'avait pas retrouvé ses restes, une légende s'établit, selon laquelle le roi reviendrait, redonnerait l'indépendance à son pays (entre-temps tombé sous le joug espagnol) et restaurerait sa gloire passée. Ainsi naquit le mythe du « sébastianisme » ancré dans la conscience de bien des Portugais au cours des siècles suivants.

pour la conduite des affaires de l'État. Garde républicain dans une petite ville perdue au milieu de la plaine, il menaça un jour ses concitoyens avec un fusil de chasse, prétendant les obliger à construire une prison dans le style de celle de Caxias[1], suivant les instructions que notre professeur lui susurrait à l'oreille. De temps en temps, le psychiatre recevait des lettres de la bourgade de M. Joaquim, signées par le curé ou le chef des pompiers, lui demandant de ne pas libérer ce terrifiant émissaire d'un fantôme. Un matin, le médecin appela M. Joaquim à son cabinet et lui annonça ce que les infirmiers n'avaient pas le courage de lui dire :

— M. Joaquim, notre professeur est mort depuis plus de trois, quatre, quinze jours. Il y a même eu sa photo dans le journal.

M. Joaquim alla jusqu'à la porte vérifier que personne ne les écoutait, revint vers le psychiatre, se pencha vers lui et l'informa dans un murmure :

— Tout cela est une mise en scène, docteur. J'ai placé là-bas quelqu'un qui lui ressemblait et l'Opposition a gobé le morceau : il y a à peine un quart d'heure, il m'a nommé ministre des Finances, vous voyez. Notre professeur a roulé tout le monde.

Fumier de Salazar, tu n'en finiras jamais de mourir, pensa-t-il à ce moment-là, assis à son bureau, faisant face à l'obstination de M. Joaquim : combien y a-t-il de M. Joaquim disposés à suivre, les yeux ban-

1. Caxias, forteresse située au bord du Tage, non loin de Lisbonne et qui a souvent abrité des prisonniers politiques importants.

dés, un ancien séminariste qui ne tenait plus sur ses jambes et avait l'âme d'une gouvernante comptant ses sous dans l'office du curé ? Au fond, réfléchissait le médecin en faisant le tour du jardin des Amoreiras, Salazar a crevé mais de son ventre ont surgi des centaines de petits Salazar prêts à continuer son œuvre avec le zèle sans imagination des disciples stupides, des centaines de petits Salazar tout aussi castrés et pervers, qui dirigent des journaux, organisent des meetings, conspirent dans les jupons de leurs Dona Maria[1], beuglent au Brésil l'éloge du corporatisme. Et cela dans un pays où il y a des après-midi tels que celui-ci, parfaits de couleur et de lumière comme un tableau de Matisse, beaux de la rigoureuse beauté du monastère d'Alcobaça, dans un pays de types qui ont les couilles que l'Estado Novo[2] voulait cacher sous des jupes de soutane, ô Mendes Pinto[3] : et avec beaucoup d'Ave Maria et beaucoup de boulets nous avons attaqué nos ennemis et en moins de temps qu'il en faut pour prononcer un credo nous les avons tous tués.

Il entra dans le bar avec l'état d'esprit de celui qui pénètre dans l'ombre humide d'une treille à l'heure

1. Dona Maria : nom de la gouvernante de Salazar.

2. Estado Novo : nom donné par Salazar à la République née de la Constitution de 1933 et reposant sur l'Église et le corporatisme.

3. Mendes Pinto, Fernão (1510 ?-1583). Aventurier et écrivain, auteur d'une *Pérégrination*. Ayant voyagé au Moyen-Orient, puis en Corée, en Chine, au Japon, en Inde, il a été treize fois prisonnier et vendu dix-sept fois. L'un des inventeurs de l'exotisme littéraire.

de la grosse chaleur et, avant que ses pupilles ne s'habituent à la demi-obscurité de l'établissement, il distingua seulement, dans une brume ténébreuse, de vagues éclats de lampes et des reflets de bouteilles ou d'objets métalliques, comme les lumières éparses de Lisbonne vue de la mer durant les nuits de brouillard. Il se dirigea en hésitant vers le comptoir, par pur instinct, chien myope cheminant vers un os hypothétique, pendant que peu à peu émergeaient des visages, les dents d'un sourire flottèrent près de lui, un bras tenant un verre ondula à sa gauche, un monde de tables et de chaises et quelques personnes surgirent du néant, gagnèrent du volume et de la consistance, l'encerclèrent, et il lui sembla soudain que le soleil au-dehors et les arbres et les arches de pierre du jardin des Amoreiras étaient très loin, perdus dans la dimension irréelle du passé.

— Une bière, demanda le médecin en regardant autour de lui : il savait que sa femme avait l'habitude de fréquenter ce bar et cherchait quelque chose qui prolongeât sa présence sur les tabourets vides, de même qu'un creux dans le matelas annonce l'absence de corps, un indice de son passage, un élément qui lui permît de la reconstruire à son côté, en chair et souriante, tiède, complice. Un couple aux têtes très rapprochées chuchotait dans un coin, un homme gigantesque frappait vigoureusement sur l'épaule résignée d'un ami, transformant ses articulations en une bouillie fraternelle.

Avec qui viens-tu ici, se demanda la jalousie enflammée du psychiatre, de quoi parles-tu, au côté de qui t'allonges-tu dans des lits que je ne connais pas, qui serre entre ses mains la sveltesse de tes hanches ? Qui occupe la place qui a été la mienne, qui est encore la mienne en moi, espace de tendresse de mes baisers, tillac lisse pour le mât de mon pénis ? Qui navigue à la bouline dans ton ventre ? Le goût de la bière lui rappela Portimão, l'odeur d'haleine de diabétique qui se dégage de la mer à Praia da Rocha, frissonnante du souffle féminin du vent d'est, la première fois qu'ils avaient fait l'amour, dans un hôtel de l'Algarve, le lendemain de leur mariage, tremblants d'anxiété et de désir. Ils étaient très jeunes alors et ils s'apprenaient mutuellement à suivre les sentiers du plaisir, à se toucher, poulains nouveau-nés donnant des coups de tête, impatients, pour saisir la pointe d'une mamelle, collés l'un à l'autre en éprouvant une peur énorme de découvrir la couleur véritable de la joie. Quand nous flirtions chez tes parents, se dit le médecin, devant les vilaines trognes des masques chinois, j'attendais le bruit de tes pas dans l'escalier, le claquement de tes talons hauts sur les marches, et grandissait en moi une bourrasque de vent, une rage, un désir de vomissement à l'envers, la faim de toi qui m'a toujours habité et me faisait revenir plus tôt de Montijo pour que nous nous couchions sur le couvre-lit avec la hâte de celui qui peut mourir d'un instant à l'autre, rien que de penser à ta bouche, à ta façon voluptueuse de te donner, à la courbe en forme de conque de tes épaules, à tes seins, lourds, tendres et doux, cela provoquait chez moi de soudaines érections, me faisait mastiquer et mastiquer ta langue, me promener sur ton cou, entrer en toi dans un mouvement unique d'épée dans son fourreau, en extase. Je n'ai jamais connu de corps qui me convienne autant que le tien, se dit le médecin en versant sa bière dans sa chope, qui soit aussi adapté à mes mesures humaines et inhumaines, les authentiques comme les imaginaires qui, pour être imaginaires, n'en sont pas moins réelles, je n'ai jamais connu une capacité aussi grande et aussi profonde de communication avec une autre personne, d'absolue coïncidence, cette faculté d'être compris sans parler et d'entendre le silence et les émotions et les pensées de l'autre, cela m'a toujours semblé miraculeux que nous nous soyons connus sur la plage où je t'ai connue, maigre, brune, fragile, ton très antique profil sérieux posé sur tes genoux repliés, la cigarette que tu fumais, la bière (pareille à celle-ci) sur le tabouret à côté de toi, ta perpétuelle vigilance d'animal, toutes ces bagues d'argent à tes doigts, ma femme depuis toujours et mon unique femme, ma lampe pour l'obscurité, image de mes yeux, mer de septembre, mon amour.

Et pourquoi sais-je seulement aimer, se demanda-t-il en examinant les bulles de gaz collées à la paroi de verre, pourquoi sais-je seulement dire que j'aime au moyen de la bimbeloterie de périphrases et de métaphores et d'images, en ayant le souci d'embellir, de mettre des franges de crochet aux sentiments, d'exprimer l'exaltation et l'angoisse par la cadence minable du fado mineur, l'âme qui se dandine, mièvre, à la façon d'un Correia de Oliveira[1] portant

1. Correia de Oliveira. Poète du XXe siècle lié au régime de Salazar.

une veste en peau de mouton, puisque tout cela est propre, clair, direct, sans nécessité de fioritures, dépouillé comme un Giacometti dans une salle vide et aussi simplement éloquent que lui : les mots déposés aux pieds d'une statue équivalent aux fleurs inutiles que l'on offre aux morts ou à la danse de la pluie autour d'un puits plein ; merde pour moi et pour le romantisme mielleux qui court dans mes veines, mon éternelle difficulté à prononcer des mots secs et exacts comme des pierres. Il leva le nez, but une gorgée et laissa le liquide couler à la manière de la stéarine sulfurique qui secoue la fatigue nerveuse ; en colère contre lui-même et contre les torsades vues dans *Cronica Feminina* qui s'étaient gravées dans son cerveau, architecte de sa propre ringardise malgré l'avis expérimenté de Van Gogh : j'ai essayé d'exprimer avec le rouge et le vert les terribles passions humaines. La brutale simplicité de la phrase du peintre le fit frissonner physiquement et ses côtes tremblèrent comme cela lui arrivait, par exemple, lorsqu'il écoutait le *Requiem* de Mozart ou le saxophone de Lester Young dans *These Foolish Things,* courant le long de la musique à la façon de doigts savants sur une fesse endormie.

Il demanda une autre bière et le combiné téléphonique au barman qui expliquait à l'ami du type très grand ses griefs contre la professeur de français de son fils, et il composa le numéro que la jeune fille rousse lui avait donné et qu'il avait noté sur un morceau de page arraché à la revue des missions : la sonnerie retentit neuf ou dix fois, en vain. Il raccrocha et fit de nouveau le numéro, au cas où une erreur d'aiguillage se serait produite dans les câbles de la compagnie et où la voix de Marlene Dietrich lui répondrait maintenant à travers les petits trous de Bakélite noire, minuscule et nette comme le grillon de Pinocchio. Il finit par rendre l'appareil au barman.

— Votre chère petite tante n'est pas là ? demanda ce dernier avec la tendresse ironique des capitaines des navires transporteurs d'alcool appareillant pour la longue traversée de la nuit.

— Peut-être le congrès des Filles de Marie s'est-il prolongé plus que prévu, suggéra le géant qui montait à bord de son quatrième gin et commençait à trouver le plancher incliné.

— Ou bien elle est en train d'expliquer la circoncision à une classe de catéchisme, ajouta son ami qui appartenait à la catégorie de ceux qui n'aiment pas rester en arrière et tentent, de façon affligeante, de rejoindre le peloton.

— Ou elle se fout de moi, conclut le médecin en direction de la bouteille de bière qu'il étrennait.

L'un des avantages des bars, pensa-t-il, est de pouvoir bavarder avec les goulots de bouteilles sans risque de chamaillerie ni d'engueulade : et soudain, en l'espace d'une seconde, il comprit les ivrognes, non d'une façon théorique, grâce aux explications de l'extérieur vers l'intérieur de la psychiatrie, trop évidentes et par conséquent erronées, mais une compréhension venue des tripes, faite de l'envie de fuir qu'il ressentait si souvent.

L'index du malabar lui toucha l'épaule avec une délicatesse inattendue :

— Mon pote, nous sommes seuls sur le pont.

— Mais il y a des nanas du tonnerre qui nous attendent à Singapour, ajouta son ami pour prendre le train en marche.

Le colosse le regarda fixement avec le mépris majestueux du gin :

— Ta gueule, on parle entre hommes.

Et au médecin, confidentiel et fraternel :

— Quand on sortira d'ici, on ira à *L'Antre de la Panthère* noyer nos malheurs au milieu des nichons.

— Toutes des putes, grommela son ami, boudeur.

La tenaille du colosse lui serra le coude jusqu'à le faire craquer :

— Moins que ta mère, petit merdeux.

Et s'adressant aux tables vides, autoritaire :

— Le premier qui dira du mal des femmes devant moi aura des emmerdes.

Son visage se tordait, agité d'une fureur menaçante, cherchant une cible sur laquelle viser, mais hormis le couple absorbé dans son coin, dans un jeu compliqué d'attouchements et de mamours, et les lampes éclairant faiblement, nous nous trouvions sur un radeau sans passagers, condamnés à la compagnie les uns des autres ; comme, pensa le psychiatre, à l'intérieur des barbelés en Afrique : vers la fin du service militaire on jouait aux cartes avec des intonations de haine dans la gorge, des envies de gifles dans les doigts, la colère prête à se décharger de la bouche tel un fusil armé. Pourquoi est-ce que je me souviens toujours de l'enfer ? se demanda-t-il : parce que je n'en suis pas encore sorti ou parce que je l'ai remplacé par un autre genre de torture ? Il but la moitié de sa bière comme quelqu'un qui avale un médicament désagréable et déchira en morceaux aussi petits que possible le numéro de téléphone de la fille rousse, qui à cette heure devait être en train de raconter à son jules comment elle s'était amusée aux dépens d'un imbécile dans la salle d'attente du dentiste : il imagina leur rire à tous les deux et, avec ce ricanement dans les oreilles, il liquida le reste de sa bière jusqu'à ce que ne demeurât plus dans son verre qu'une bave de mousse : escargot d'orge fermenté, mets les petites cornes de ma cuite au soleil et aide-moi à flotter parce que je ne sais pas nager. Et il se souvint d'une histoire qui appartenait au patrimoine familial, celle d'un couple ami de sa grand-mère, les Fonseca : l'épouse, robuste femme, tyrannisait son mari, qui était tout petit : M. Fonseca, par exemple, émettait un son timide et elle criait aussitôt : Fonseca boucle-la car tu es bête ; M. Fonseca allait allumer une cigarette et elle croassait : Fonseca ne fume pas, et ainsi de suite. Un après-midi, ma grand-mère servait le thé à un groupe de visiteurs et, quand elle se trouva devant M. Fonseca, elle lui demanda : Monsieur Fonseca, vert ou noir ? La femme de M. Fonseca, vigilante comme un mâtin malade de la vésicule, glapit : Fonseca ne boit pas de thé ; et, dans le silence qui suivit, se produisit un phénomène surprenant : M. Fonseca, qui avait été jusqu'alors, et durant quarante années de dictature conjugale, doux, obéissant et résigné, donna un coup de poing sur le bras de son fauteuil et déclara d'une voix encore éteinte car ses testicules sortaient d'une longue hibernation :

— Je veux du vert et je veux du noir.

C'est le moment, se dit le médecin en payant ses consommations et en se libérant de l'accolade du colosse qui entre-temps avait atteint la phase des embrassades, c'est le moment de faire sortir de mes couilles un putain de jet qui soit digne de moi.

Au-dehors la nuit tombait : peut-être sa femme viendrait-elle ce soir-là dans ce bar et ne remarquerait-elle pas les arches de pierre du jardin.

Comme d'habitude, je vais arriver en retard à ma séance d'analyse, pensa le psychiatre bloqué à un feu rouge auquel il attribuait en cet instant l'entière responsabilité de tous les malheurs du monde, les siens en tête de liste, bien entendu. Il était sur la contre-allée de l'avenue de la Republica, derrière une camionnette de livraison, et trépignait d'impatience en voyant la circulation qui s'écoulait perpendiculairement à lui, venant de Campo Pequeno, mosquée de briques disparates, cathédrale des cornes[1]. Deux très jolies filles passèrent près de sa voiture en bavardant et le médecin suivit le mouvement de leurs omoplates et de leurs cuisses à mesure qu'elles marchaient, l'harmonie parfaite de leurs gestes, oiseaux en plein vol, la façon dont l'une d'elles écartait ses cheveux de la main : quand j'étais plus jeune, se souvint-il, j'étais convaincu qu'aucune femme ne s'intéresserait jamais à moi, à mon large menton, à ma

1. Cathédrale des cornes : les arènes de Lisbonne où ont lieu les courses de taureaux à la portugaise.

maigreur ; si l'on me regardait, je demeurais paralysé par une timidité bégayante, je me sentais rougir, luttais contre le violent désir de disparaître au galop ; vers quatorze-quinze ans on m'emmena pour la première fois au numéro 100 de la rue du Mundo, je n'étais jamais allé au Bairro Alto la nuit, où proliféraient les ombres minces et les silhouettes immobiles, et je suis entré dans la maison de passe à la fois curieux et terrifié, avec une envie de faire pipi qui gênait ma marche, celle des jours d'examen. Je me suis assis dans une salle remplie de miroirs et de chaises à côté d'une femme en combinaison qui tricotait et n'a même pas levé les yeux de ses aiguilles ; en face, un individu âgé attendait son tour, un porte-documents sur les genoux (et l'on distinguait sur sa serviette le relief des Thermos de café au lait de ses petits déjeuners) et brusquement je me vis multiplié jusqu'à la nausée dans les miroirs biseautés, des dizaines de moi inquiets se regardant les uns les autres, avec un étonnement proche de l'épouvante, évidemment, mon zizi se réduisit dans mon slip à la taille qu'il avait en sortant d'un bain d'eau froide, accordéon de peau ratatinée capable tout au plus d'un petit jet d'urine oblique, et je disparus dans le couloir en trottinant humblement vers la sortie comme un chien que l'on chasse, pour arriver à la porte où la patronne, dont les varices débordaient de ses pantoufles, discutait avec un soldat ivre qui avait mis en travers du seuil sa botte couverte d'une gelée de vomi.

Le feu passa au vert et le taxi derrière lui klaxonna immédiatement, impérieux : pourquoi diable, se demanda-t-il, les chauffeurs de taxi sont-ils les créatures les plus hargneuses du monde ? Hommes sans visage, réduits à une nuque et à des épaules plantées comme des clous sur le siège avant, et occasionnellement à une paire d'yeux vides dans le petit carré du rétroviseur, orbites de verre inexpressives comme celles des animaux des norias. Peut-être le fait de circuler dans Lisbonne toute la journée plonge-t-il les gens dans une espèce d'épilepsie explosive, peut-être cette ville fait-elle naître la colère et le dégoût chez celui qui est obligé de la parcourir dans tous les sens, peut-être la nature de l'homme est-elle de se livrer à des rages exaltées et homicides et nous autres, les gars bien élevés, nous feignons une amabilité que nous ne ressentons pas. Il décocha des injures au chauffeur qui lui répondit par un gigantesque bras d'honneur comme deux scouts échangeant des signaux à l'aide de fanions, et il tourna à droite vers l'avenue João-XXI, au début de laquelle, du côté gauche, il y avait des arrière-cours d'immeubles barbouillées de suie comme il les aimait, avec des marquises protubérantes, verrues de nids précaires où l'on devinait des planches à repasser et des mélancolies domestiques.

Cesario[1], mon ami, dit le psychiatre avec tendresse, j'ai vu la semaine dernière quelque chose qui te ferait venir des alexandrins de joie à la bouche : je cherchais un endroit où dîner et, passant devant ton buste éclairé sur le sentier qui longe la pelouse stéphanique[2] où on l'a placé, j'ai rencontré une vieille vêtue de noir assise sur le socle de ta statue avec un couffin à ses

1. Allusion à Cesario Verde.
2. Allusion à la place Dona-Estefania où se trouve la statue.

pieds, et j'ai compris alors la différence qui existe entre toi et Eça, le même abîme qui existe entre le fait d'enlacer une vierge de pierre et celui d'approcher une créature vivante, née de la chair vigoureuse de tes vers.

Il longea une rue bordée de garages et de bureaux plongés dans l'obscurité du travail achevé, au bout de laquelle on voyait le store jaune d'un bar brésilien (les Portugais sont stupides, expliquait le porteur d'eau galicien dans l'une des histoires que racontait sa mère, nous sommes venus ici pour leur vendre leur eau) et il se gara devant un magasin de meubles qui se trouvait au coin de l'avenue Oscar-Monteiro-Torres et de la rue Augusto-Gil, exhibant des commodes détestables et des toiles ovales montrant des fleurs dans des cadres en bois sculpté. Un pastel représentant un lévrier sur un fond d'infante de Vélasquez figurait en vitrine, et le chien semblait sourire du sourire averti qui échappe parfois à un peintre médiocre et par lequel l'absence de talent se moque d'elle-même, sans s'en rendre compte. Pendant quelques instants, il examina, effaré, un lustre d'aluminium phénoménal, se disant que le mauvais goût exigeait, à sa façon, une dose considérable d'imagination, et il eut envie d'essayer de se coucher dans un lit sortant des cauchemars du docteur Mabuse au cours d'une nuit de halte digestive, pour voir quelles métamorphoses délirantes subirait son corps ; il pensa à l'étonnement de la bonne qui venait d'arriver de province et que son père avait emmenée visiter le jardin zoologique. Là, c'est l'éléphant, expliquait son père, et la bonne s'ébahissait en regardant l'animal, examinant ses pattes, sa tête, sa trompe ; là, c'est le rhinocéros, disait son père, là l'hippopotame, là le gorille, là l'autruche, et la bonne allait de stupéfaction en stupéfaction, les orbites rondes, la bouche ouverte, les mains sur les hanches, jusqu'à ce qu'ils arrivent à l'enclos de la girafe : alors, la surprise de la jeune fille fut à son comble. Pendant plusieurs minutes, émerveillée, elle contempla le long cou criblé de taches et la tête tout en haut, puis elle s'approcha du père du médecin et lui demanda dans un murmure :

— Docteur, comment s'appelle celui-là ?

— C'est la girafe, lui annonça-t-on.

La bonne mastiqua longuement le mot, observant toujours l'animal, et murmura dans un soupir d'extase :

— Girafe... Comme ce nom lui va bien !

La nuit était tombée et, dans l'obscurité d'une porte, le psychiatre distingua un groupe de Capverdiens aux lunettes de verre fumé discutant de façon véhémente, agitant les manches claires de leurs chemises avec de grands gestes. L'un d'entre eux portait sous un bras un transistor à piles qui fit jaillir tout à coup un jet de musique à plein volume, telle une chasse d'eau évacuant un vomi de triples croches en désordre. Il y avait une taverne un peu plus loin, avec un téléviseur sur une étagère juste sous le plafond, et les habitués de la gargote, le verre à la main, tordaient leurs têtes de concert vers l'écran qui diffusait sur eux une lumière fluorescente et bleutée de radioscopie, révélant le squelette de leurs sourires : vu l'enthousiasme dialectique des Capverdiens, le médecin calcula que leurs humeurs vociférantes avaient dû être dopées par du gros rouge, dont la présence se devinait dans chaque exclamation ou éclat de rire. Du rez-de-chaussée voisin une dame corpulente suivait la scène, très intéressée, répandant ses seins sur le bord de sa fenêtre : elle doit porter autour du cou le portrait en émail du père Cruz, paria le psychiatre en montant l'escalier qui le menait à son cabinet d'analyse, posséder un chien dodu qui s'appelle Benfica, avoir un fils employé de banque et une petite-fille Sonia Marisa avec un cache en plastique sur le verre gauche de ses lunettes parce qu'elle louche. Peut-être, compléta-t-il en appuyant sur la sonnette, a-t-elle été témoin au mariage de la secrétaire du dentiste et bavardent-elles de dentelle le dimanche après-midi pendant que leurs époux écoutent le résultat des paris du loto sportif avec leur ticket sur les genoux.

Divague, divague, mais le type va bientôt te tomber dessus, se dit-il en guise d'avertissement en se dirigeant vers la salle de groupe après que la serrure eut fait un bruit sec et que la porte se fut ouverte : ces derniers temps, à son avis, il se faisait trop sonner les cloches par son analyste comme lorsque, enfant, on le punissait pour des fautes dont, à son avis, il n'était pas coupable, et croissait en lui un grand ressentiment contre l'autre qui semblait se complaire à détruire une à une les architectures vaines (mais nécessaires ?) de ses chimères : un type vient ici comme un bœuf placide va à l'abattoir, réfléchit le médecin, pour recevoir des piqûres d'épingle dans les couilles de la part de garçons bouchers sadiques, et s'il le supporte c'est dans l'unique espoir qu'ensuite sa viande sera plus tendre ; un type vient ici pour apprendre à vivre ou à être domestiqué, châtré, décervelé, transformé en un petit saint laïc pour deux *contos*[1] et quelque par mois. Quelle saloperie de lavage de cerveau que ce truc ! J'en sors disloqué comme un vieillard qui a des rhumatismes, un lumbago, une sciatique, des becs de perroquet et mal aux dents, une âme de chien errant qui gémit en rentrant chez lui, et pourtant je reviens, je reviens ponctuellement un jour sur deux pour recevoir une autre raclée ou une indifférence totale et aucune réponse à mes angoisses réelles, aucune idée sur la façon de sortir de ce puits ou au moins de retrouver un chouïa d'air libre là en haut, aucun geste qui me montre la voie vers une certaine tranquillité, une certaine paix, une certaine harmonie avec moi-même : Freud, va donc te faire enculer par ton Œdipe. Il ouvrit la porte de la salle de groupe et, au lieu de déclarer Merde à tous, il dit Bonsoir et alla s'asseoir, discipliné, sur l'unique siège libre de la pièce.

Le groupe était au complet : cinq femmes, trois hommes (dont lui) et l'analyste de groupe vautré à sa place habituelle, les yeux fermés, en train de jouer avec sa montre-bracelet posée sur le bras de son fauteuil : mon salaud, pensa le psychiatre, mon putain de salaud, un de ces jours je vais te coller mon pied dans les parties pour vérifier si tu es vivant et, comme s'il l'avait compris, le psychanalyste leva vers lui sa paupière somnambule et neutre qui dévia immédiatement vers un tableau accroché au mur de la salle et représentant de manière approximative un paysage de petite ville : des toitures de différentes

1. Un *conto* représente mille escudos.

couleurs, un clocher d'église, un ciel tourmenté : par la fenêtre ouverte lui parvenait, atténuée, la discussion entre les Capverdiens dans la rue et la musique du transistor qui avait désormais atteint son intensité de croisière ; à travers les rideaux on apercevait les contours des immeubles voisins, signe que la vie continuait en dehors de cette pièce apparemment étanche, dépotoir d'angoisses concentrées.

L'une des femmes parlait de son père et de sa difficulté à communiquer avec lui, et le médecin, qui avait déjà écouté cette histoire des dizaines de fois et la trouvait particulièrement barbante et monotone, s'occupa l'esprit en observant les murs qui avaient besoin d'une nouvelle couche de peinture, les grands fauteuils noirs et blancs qui ressemblaient à des pingouins obèses, une table dans un coin couverte d'une nappe rouge de mauvaise qualité, sur laquelle se trouvaient un téléphone et deux annuaires écornés : c'était là que le thérapeute plaçait les enveloppes des honoraires qui contenaient des feuilles numérotées de 1 à 31 et des cercles tracés au stylo-bille représentant les dates des séances. L'un des hommes, qu'il aimait bien, sommeillait, le menton dans la main : aujourd'hui, notre réunion ressemble au Parlement, pensa le psychiatre qui se sentait à son tour envahi, lui aussi, par une sorte de somnolence très légère, pellicule d'indifférence lasse qui perturbait son attention. La femme qui parlait de son père se tut soudain et une autre commença le long récit de ses appréhensions au sujet de la méningite de son fils, qui finalement ne furent pas confirmées après un long chemin de croix dans les services d'urgence des hôpitaux et entre les mains de médecins émettant des diagnostics contradictoires, veillant soigneusement à démentir avec mépris l'opinion de leur collègue précédent : l'homme qui sommeillait se réveilla, s'étira et lui demanda une cigarette. À sa droite, une jeune fille avec un air d'orpheline suçait des pastilles pour les amygdales et faisait de temps en temps claquer légèrement sa langue : les coins de sa bouche étaient affaissés et amers comme les sourcils des gens très tristes.

Je viens ici depuis je ne sais combien d'années, réfléchit le médecin en observant ses compagnons de voyage, dont la plupart avaient commencé à naviguer dans les eaux de l'analyse avant lui, et je ne vous connais pas encore bien et je n'ai pas appris à vous connaître, à comprendre ce que vous voulez de la vie, ce que vous en attendez. À certains moments, lorsque je suis loin d'ici et que je pense à vous, je sens que vous me manquez et ensuite je me demande ce que vous représentez pour moi et je ne connais pas la réponse parce que je continue à ne pas connaître la plupart des réponses, et je trébuche de question en question comme Galilée avant de découvrir que la Terre tournait et de trouver dans cette explication la clé de ses interrogations. Et il ajouta : Quelle explication trouverai-je un jour, quel Saint-Office la condamnera, et qui m'obligera à renoncer à mes petites conquêtes individuelles, pénibles victoires merdiques sur la merde dont je suis fait ? Il prit un cendrier fendu sur la table du milieu et s'alluma une cigarette : la fumée pénétra dans ses poumons avec l'avidité de l'air entrant dans un ballon vide et inonda son corps d'une espèce de calme enthousiasme : le psychiatre se revit en train de fumer sa première cigarette clandestine, dérobée à sa mère, sucée à onze ans à la fenêtre de la salle de bains avec la volupté d'une grande aventure. Des Chesterfield : sa mère les allumait à la fin du déjeuner, devant le plateau de la cafetière, entourée de ses fils et de son mari, et le médecin regardait longuement la fumée qui se condensait autour du lustre de fer forgé du plafond, formant et défaisant des nuages bleuâtres qui s'étiraient, transparents et nonchalants comme les cirrus de l'été. Son père tapotait sa pipe contre le cendrier d'argent qui portait au centre l'inscription La Fumée S'En Va, L'Amitié Reste, une grande sérénité se répandait dans la salle à manger et le psychiatre avait la certitude réconfortante que personne, parmi ceux qui se trouvaient là, ne mourrait jamais : seize paires d'yeux clairs autour de la jardinière en argent, unis par la ressemblance des traits et par un bref-long passé commun.

Certains membres du groupe demandèrent à la jeune femme des détails sur la maladie de son fils, et le médecin remarqua que l'analyste, en apparence cataleptique, nettoyait du bout de l'ongle une tache sur sa cravate rouge et noir, à ramages : Ce salaud, pensa-t-il, non seulement il est laid mais en outre il s'habille de plus en plus mal ; il porte même des chaussettes avec des petites étoiles, le voilà avec la tenue de rigueur pour boire un cocktail dans un salon de thé de l'avenue de Paris, en compagnie de sa femme dont les formes généreuses doivent être comprimées dans du satin couleur prune et, autour du cou, un renard en peau de lapin affligé de psoriasis : au fond, il aurait désiré que l'analyste s'habille selon ses propres critères d'élégance, critères d'ailleurs discutables et vagues en ce qui le concernait : l'un de ses frères avait l'habitude de lui dire que lui, psychiatre, ressemblait au Photomaton d'un fiancé de province, l'air ébahi avec son veston croisé à rayures et mal coupé. Je m'habille de neuf comme le Lapin Blanc d'Alice et j'exige que ceux que j'aime revêtent l'uniforme du Chapelier Fou : peut-être qu'ainsi nous pourrons tous jouer au croquet avec la Reine de Cœur, couper, d'un seul coup, le cou au quotidien du Quotidien et sauter à pieds joints de l'autre côté du miroir. Et aussitôt il s'avertit lui-même : Votre Majesté ne doit pas rugir aussi haut, mais, de toute façon, comment est la lumière d'une bougie quand elle est éteinte ?

Le troisième homme du groupe, qui portait des lunettes et ressemblait à Émile — celui d'*Émile et les Détectives* —, lui expliqua qu'il serait bien content si sa fille mourait parce que sa femme s'occuperait davantage de lui, ce qui provoqua divers murmures d'indignation dans l'assistance.

— Va te faire voir, va te faire voir ! dit celui qui sommeillait, en s'agitant sur sa chaise.

— Sérieusement, insistait le premier. Parfois, j'ai envie d'aller vers le berceau et d'y verser une cafetière d'eau bouillante.

— Dieu du ciel ! dit la femme de la méningite qui cherchait son mouchoir dans son sac.

Il s'ensuivit un silence dont le psychiatre profita pour allumer une autre cigarette, et l'infanticide ôta ses lunettes et suggéra à voix basse :

— Peut-être avons-nous tous envie de tuer les gens que nous aimons.

L'analyste de groupe se mit à remonter sa montre et le médecin se sentit comme Alice durant l'assemblée des animaux présidée par le Dodo : quelle étrange mécanique interne régit tout cela, pensa-t-il, et quel fil conducteur souterrain unit des phrases décousues et leur confère un sens et une densité qui m'échappent ? Sommes-nous au seuil du silence comme dans certains poèmes de Benn, où les phrases acquièrent un poids insoupçonné et la signification à la fois mystérieuse et évidente des rêves ? Ou serait-ce que, comme Alberti, je sens les mots, ce soir, blessés à mort, et me nourris de ce qui scintille et bat dans leurs interstices ? Quand la chair se transforme en son, où se trouve la chair et où se trouve le son ? Et où se trouve la clé qui permet de décoder ce morse, qui le rend concret et simple comme la faim, ou la volonté d'uriner, ou le désir d'un corps ?

Il ouvrit la bouche et dit :

— J'ai la nostalgie de ma femme.

L'une des jeunes personnes, qui n'avait pas encore parlé, lui sourit avec sympathie et cela l'enrouragea à continuer :

— J'ai la nostalgie de ma femme et je ne suis pas capable de le lui dire à elle, ni à qui que ce soit, sinon à vous.

— Pourquoi ? demanda de façon inattendue l'analyste comme s'il revenait en douce d'une longue traversée dans les glaces de son être. Sa voix ouvrait une sorte d'espace agréable devant lui, où le psychiatre eut envie de s'étendre.

— Je ne sais pas, répondit-il rapidement, craignant que la réceptivité qu'il avait réussi à obtenir ne s'évanouisse et appréhendant de se retrouver face à huit visages ennuyés ou hostiles. Je ne sais pas ou je sais, c'est selon, je crois que j'ai un peu peur de l'amour que les autres ont pour moi et que j'ai, moi, pour eux et j'ai peur de vivre cela jusqu'à la fin, totalement, de me livrer aux choses et de lutter pour elles tant que j'en aurai la force et, quand je n'en aurai plus la force, de trouver encore plus de force pour continuer le combat.

Et il parla de l'immense amour qui avait uni, durant presque cinquante ans, son grand-père et sa grand-mère paternels et raconta que leurs fils et les aînés de leurs petits-fils devaient taper du pied sur le plancher pour prévenir de leur entrée dans une pièce où ses grands-parents se trouvaient seuls. Il les revit se tenant par la main à la table de la salle à manger durant les dîners de famille et comme son grand-père cajolait sa femme et l'appelait Ma Vieille, et mettait dans cette appellation une profonde et chaude et indestructible tendresse. Il parla de la mort de son grand-père et du courage avec lequel sa grand-mère avait supporté sa maladie, son agonie et sa mort, de pied ferme et les yeux secs, et l'on percevait sa grande souffrance sous son calme absolu, sans la moindre sensiblerie, sans la moindre plainte, et elle avait suivi, droite et fringante, le cercueil de son homme jusqu'à sa tombe, elle avait reçu avec un sourire poli les condoléances de l'officier qui commandait l'escorte de l'enterrement militaire de son mari et, de retour à la maison, elle avait distribué entre ses enfants les objets personnels de leur père et immédiatement organisé sa vie de telle façon que tout demeure comme elle et nous savions que grand-père l'aurait voulu, et à l'heure du repas elle a occupé le haut bout de la table et nous avons accepté tout cela comme un fait naturel, et les choses ont continué ainsi jusqu'à ce que, dix-huit ans plus tard, elle mourût à son tour et voulût emporter dans son cercueil la photographie qu'il lui avait offerte pour leurs noces d'argent. Et il évoqua ce que le curé avait dit durant la messe du corps présent : Nous avons tous perdu une mère, et le médecin avait beaucoup pensé à cette phrase prononcée à propos de sa grand-mère dont le manque de tendresse et la dureté l'irritaient, et il finit par admettre que c'était vrai et que, pendant trente ans de sa vie, il n'avait pas su reconnaître à cette femme la valeur qu'elle avait véritablement, et que, une fois de plus, il s'était trompé en évaluant les gens et que maintenant il était trop tard, comme d'habitude, pour se corriger.

— On ne peut pas refaire le passé, mais on peut vivre mieux le présent et le futur, et vous en avez une frousse de tous les diables, observa la jeune fille au sourire.

— Tout au moins tant que vous aurez besoin de continuer à vous punir, ajouta l'analyste qui étudiait intensément l'ongle de son pouce gauche, auquel devaient être collées, en microfilm, les œuvres complètes de Mélanie Klein.

Le psychiatre s'enfonça dans son fauteuil et chercha dans sa poche la troisième cigarette de cette séance : Est-ce que je me punis ainsi, réfléchit-il, et si je le fais pourquoi diable est-ce que je le fais ? Et au nom de quel nébuleux, et pour moi incompréhensible, péché ? Ou simplement je me punis parce que je ne suis capable de rien d'autre et que cela constitue ma façon particulière de me sentir au monde, comme un alcoolique doit boire pour s'assurer qu'il existe ou un macho forniquer pour se convaincre qu'il est un homme ? Et nous finissons fatalement par déboucher sur la question essentielle qui se trouve derrière toutes les autres quand toutes les autres s'écartent ou ont été écartées et qui est, si vous me permettez, Qui Suis-Je ? Je me le demande et la réponse est obstinément, invariablement : Une Merde.

— Pourquoi vous détestez-vous ? demanda l'infanticide.

— Peut-être pour la même raison qui poussait l'oncle José à entrer à cheval dans la cuisine de mon grand-père, répondit le médecin.

Et il raconta que l'oncle José, qu'il n'avait pas connu, passait des mois dans une immobilité totale, assis à une fenêtre, sans parler à personne, jusqu'au moment où il se levait, mettait un œillet à son frac, montait sur sa jument et commençait une période d'activité fébrile durant laquelle, entre une transaction commerciale et une visite au cabaret, il entrait au trot, tel un joyeux Don Quichotte décrépit, dans les offices de ses neveux et de ses amis.

— L'oncle José lui-même ne savait pas pourquoi il chevauchait entre les casseroles et les cris des cuisinières indignées, pas plus que moi je ne sais pourquoi je ne m'aime pas, dit le psychiatre.

Et il ajouta tout bas, sur le ton de celui qui complète un parcours intérieur :

— Mon arrière-grand-père s'est tué avec deux pistolets lorsqu'il a découvert qu'il avait un cancer.

— Vous n'êtes pas votre arrière-grand-père, expliqua l'analyste en se grattant le coude, et votre Guermantes n'est qu'un Guermantes.

— Vous vivez parmi les morts pour ne pas vivre parmi les vivants, dit la jeune fille qui avait des problèmes avec son père.

On aurait dit une voix *off* parlant d'un album de photos de famille.

— Pourquoi ne nous regardez-vous pas, nous qui respirons ? demanda l'infanticide.

— Et pourquoi ne vous regardez-vous pas en compagnie de quelqu'un qui respire ? suggéra celle qui souriait. Vous êtes comme les enfants dans leur lit, qui ont peur du noir et se couvrent la tête avec leurs couvertures.

« Qu'est-ce qui pousse tous ces emmerdeurs à me tomber dessus en même temps ? » se dit le médecin.

— Des malabars sont en train de tabasser un pauvre aveugle invalide, se plaignit-il en se forçant à sourire.

— C'est plutôt l'inverse : le pauvre aveugle invalide, qui n'est ni aveugle ni invalide, tente d'embobiner les malabars et de s'embobiner lui-même pour continuer à profiter du fait d'être aveugle et invalide, répondit vivement la fille mélancolique des angines. Le chant de sirène de votre autocompassion ne nous impressionne pas, et si vous aimez vous faire enculer l'âme, cela vous regarde, mais ne nous obligez pas à assister au spectacle.

Un grand silence s'établit, meublé par le bruit étouffé de la circulation en bas, circulation nocturne, glissement oblique de chat dans la ville éclairée : d'ici quelques minutes je serai seul sous les néons, pensa le psychiatre, à me creuser le ciboulot pour choisir un restaurant où dîner ; et chacun de ces salauds a quelqu'un qui l'attend : cette dernière constatation fit monter en lui une énorme fureur contre les autres, qui se défendaient mieux contre le poulpe gélatineux de la dépression.

— Il est facile pour un coq de se pavaner dans son poulailler, beugla-t-il à la ronde, accompagnant son cri de gestes obscènes des deux mains.

— L'un veut tuer sa fille, l'autre nous dit d'aller nous faire voir, protesta en riant l'une des jeunes femmes. Vous êtes de drôles de zigotos qui s'inventent des angoisses de carton-pâte.

— De jeunes chats de gouttière qui miaulent et menacent d'être tristes au lieu d'être en rut, compléta celle de la méningite.

L'analyste se moucha bruyamment et rangea son mouchoir en boule, sans le plier, dans la poche de son pantalon : il donnait l'impression d'assister à cet entretien dans un état d'indifférence absolue, livré à de passives ruminations végétales : le moi intime de cet homme gros, encore jeune, constituait pour le psychiatre une énigme complète, bien qu'ils se rencontrassent trois fois par semaine depuis des années, dans cette pièce où se jouait une importante partie de sa vie mais à l'aspect aussi négligé que celui de son propriétaire, avec son rideau de sacristie à l'entrée et son plafond devenu marron à force d'innombrables cigarettes. Il regarda discrètement la montre de l'homme qui avait piqué un roupillon à son côté : encore quelques minutes, et l'analyste appuierait ses doigts sur les bras de son fauteuil et se lèverait pour signifier la fin de la séance : descendre les escaliers, sortir dans la rue, recommencer : remonter du puits à la force du poignet jusqu'au paysage herbeux du dehors, tordre ses vêtements mouillés, partir : comme lorsque je suis arrivé d'Afrique et que je ne savais que faire, je me trouvais dans un couloir très long et sans aucune porte, et j'avais une femme enceinte et une fille et une grande fatigue dans mes os sonnés par trop de piqûres. Il revit mentalement la tombe de Zé do Telhado[1] à Dala et la maison au toit de paille de M. Gaspar au milieu d'arbres hauts où bondissait un énorme singe apprivoisé, au museau blanc, attaché par une laisse à un poteau de fer, il revit la mort du caporal Pereira quand sa Jeep avait pris feu et l'aspect fantastique des brûlis tout au long de la nuit : depuis qu'on m'a emmené à Padoue pour faire ma première communion, pensa le médecin, j'ai déjà parcouru un bon bout de chemin.

— Pardonnez-moi ma réflexion sur les angoisses de carton-pâte, dit la jeune femme qui, quelques instants auparavant, s'était moquée de lui. Je sais que vous êtes à cran.

Le psychiatre posa brusquement sa main sur le bras de sa voisine au moment où l'analyste commençait à se lever, et lui lança un regard de Christ sur le calvaire :

— Ma fille, lui affirma-t-il, aujourd'hui même tu seras avec moi au paradis.

1. Zé do Telhado, sorte de Robin des Bois portugais. Mort au bagne en Afrique, à la fin du XIXe siècle.

Seul dans la nuit de la rue Augusto-Gil, assis dans sa voiture, moteur coupé et phares éteints, le psychiatre appuya ses mains sur le volant et se mit à pleurer : il s'efforçait de n'émettre aucun son, de sorte que ses épaules tremblaient comme celles des actrices du cinéma muet lorsqu'elles cachaient leurs boucles de cheveux et leurs larmes dans les bras d'un grand-père barbu : Merde merde merde merde merde merde, disait-il à l'intérieur de lui-même, parce que je ne trouvais pas en moi d'autres mots que ceux-ci, sorte de faible protestation contre la noire tristesse qui me remplissait. Je me sentais très vulnérable et très seul et n'avais nulle envie maintenant d'appeler qui que ce soit parce que (je le savais) certaines traversées ne peuvent s'effectuer que seul, sans aide, même si l'on risque de couler à pic durant une de ces aubes d'insomnie qui nous transforment en Pedro et Inês dans la crypte d'Alcobaça, gisants de pierre jusqu'à la fin du monde. Et je me souvins qu'une jeune personne m'avait raconté que, lorsqu'elle était petite, à une époque où les gens se fréquentaient sur la pointe des pieds d'attentions excessives, sa mère l'emmenait faire des visites ; et alors elle entrait dans des maisons guindées, peuplées de grandes horloges et de pianos surmontés de chandeliers où la musique s'incline en tremblant dans la direction du vent, elle écoutait les doléances des dames étouffées par le damas des doubles rideaux et les soupirs des défunts sur les portraits fixés au mur, et elle pensait : Comme cette maison doit être triste à trois heures de l'après-midi. De sorte que, des années et des années plus tard, elle versait de l'alcool à 90° dans les vases de fleurs pour le boire en cachette et obtenir ainsi un midi perpétuel.

La nuit des rues et des places, en ce vendredi, ressemblait pour le médecin aux nuits de son enfance quand, couché, il écoutait, venant du bureau, les duos d'opéra qui parvenaient jusqu'à son lit sous la forme de discussions terrifiantes, le père-ténor et la mère-soprano qui s'insultaient en criant sur un fond lugubre d'orchestre que l'obscurité amplifiait jusqu'à ce que l'un d'eux pendît l'autre dans le nœud coulant d'un do dièse, suivi par le terrible silence des tragédies consommées : quelqu'un gisait sur le tapis dans une mare de croches, assassiné à coups de bémols, et des maestros croque-morts, vêtus de noir, monteraient bientôt l'escalier en portant un cercueil qui ressemblait à un étui de contrebasse, avec un crucifix fait de deux baguettes croisées sur le dessus. Les bonnes à crête et au tablier amidonné entonnaient le *Chœur des chasseurs* avec un accent de la Beira, dans la salle à manger. Le curé, vêtu comme don José, surgissait au milieu d'un tourbillon espagnol de Filles de Marie. Et le berger allemand de la tannerie lançait en direction des terres avoisinantes des hurlements de chien des Baskerville revus par Saint-Saëns.

Dans la nuit de Lisbonne on a l'impression d'habiter un roman d'Eugène Sue avec un passage sur le Tage, où la rue Barão-de-Sabrosa est le petit ruban décoloré qui marque la page lue, malgré les toits où fleurissent des plantations d'antennes de télévision semblables à des arbustes de Miró. Le psychiatre, qui n'avait jamais de mouchoir, nettoya sa morve et ses larmes avec le chiffon vert dont il se servait habituellement pour effacer, sur le pare-brise de sa voiture, son haleine tiède de vache de crèche, alluma ses phares (il se représentait toujours le tableau de bord éclairé comme une bourgade en fête de l'Alentejo, vue de loin) et il alluma le moteur de la petite voiture dont l'effort se transmettait à son corps comme s'il était lui-même une pièce de cet engrenage docile qui vibrait. Sur le seuil d'une porte juste à côté de lui, une jeune fille embrassait sur la bouche un monsieur chauve : ses reins évoquaient l'harmonie sensuelle de certains dessins prestes de Stuart, et le médecin envia intensément le petit homme laid qui la caressait, roulant des yeux protubérants de merlan frit : la voiture américaine jaune aux vitres vertes garée tout près lui appartenait certainement : le squelette en plastique accroché au rétroviseur se situait sur la même longueur d'onde que la bague qu'il portait à l'auriculaire, une pièce d'or retenue par trois petits crochets d'argent. Si je me mariais avec la fille de ma blanchisseuse peut-être serais-je heureux, récita le psychiatre à haute voix, regardant l'individu qui émettait par sa bouche ouverte les gargouillis d'eau bouillante que produisent les dentiers de ceux qui boivent leur café trop chaud : Quand j'aurai son âge, je mangerai des baisers comme quelqu'un mange de la soupe, et je me curerai les gencives afin d'extraire de mes molaires des restes encombrants de tendresse ; et peut-être une jeune fille comme celle-là s'intéressera-t-elle à mon charme de menhir.

Oh *darkness darkness darkness* : nuit informe ici, ruisselant des maisons du rez-de-chaussée, de l'asphalte, des lacs, des haies de buis, du silence immobile du fleuve, des coffres et des commodes dans les couloirs des vieilles maisons remplies de la garde-robe des morts : le médecin atteignit l'avenue Defensores-de-Chaves et conduisit lentement dans l'espoir insensé que le temps passerait très vite et qu'il se retrouverait trois pâtés de maisons plus loin, quadragénaire et heureux, dans une villa d'Estoril, entouré de lévriers à pedigree, de beaux livres reliés et d'enfants blonds, parce que ce qui l'attendait était une tristesse inquiète, agitée, dont il ne voyait pas la fin, si fin il y avait. Normalement, il avait l'habitude de combattre ces états d'âme en passant d'un hôtel à l'autre (du *Rex* à l'*Impala*, de l'*Impala* au *Penta*, du *Penta* à l'*Impala*) et en subissant, le matin, le choc bizarre de se réveiller dans une chambre impersonnelle et inconnue, de s'approcher de la fenêtre et de voir tout en bas la ville habituelle, la circulation habituelle, les gens habituels, et moi devenu apatride dans mon propre pays, me lavant les aisselles avec un échantillon de savonnette « Feno de Portugal », offerte par la direction, et laissant les clés à la réception avec une fausse désinvolture de vacancier.

Le psychiatre tourna autour de la place José-Fontana où, pour la première fois, en sortant du lycée, il avait vu deux chiens en train de faire l'amour poursuivis par la terrible colère puritaine de la vendeuse de marrons qui, en été, conduisait un tricycle de glaces, faisant preuve ainsi de la faculté d'adaptation enviable des hommes politiques nationaux ; durant sept ans, il était passé tous les jours au milieu des arbres de ce jardin peuplé à doses égales de retraités et d'enfants, dont l'urinoir souterrain situé sous le kiosque à musique était gardé par un cerbère municipal, cuvant, depuis l'aurore, les vapeurs titubantes d'une ivresse chronique : le médecin l'imaginait toujours secrètement marié avec la femme des marrons et des glaces, à laquelle il s'unissait dans un bruit de ventouse à l'approche du crépuscule, mélangeant les éructations de l'alcool avec l'haleine polaire de la vanille, dans la chambre nuptiale des toilettes décorées par des dessins explicatifs, de même que les écriteaux des postes de secours indiquent les péripéties du bouche-à-bouche. Un homosexuel âgé, aux joues maquillées, se promenait entre les bancs, observant les élèves avec des regards de bonbon gluant. Et un monsieur digne muni d'un porte-documents, installé à côté de la fontaine, vendait des photographies pornographiques avec l'esprit missionnaire de celui qui fourgue à la sortie des églises des petites images pieuses aux enfants qui viennent de faire leur première communion.

En arrivant à l'avenue Duque-de-Loulé, les annonces lumineuses des restaurants chinois aux caractères culinaires cunéiformes à l'usage des nigauds le firent hésiter, indécis, tenté par les noms exotiques des plats, mais il pensa immédiatement que dîner tout seul le ferait se sentir encore plus seul, marchant en équilibre sans la moindre ombrelle sur le fil de fer de son affliction devant un public indifférent, de sorte qu'il laissa sa voiture plus bas, presque garée contre une cabine téléphonique semblable à celle dont il avait vu la photo plusieurs semaines auparavant au dos d'une revue, regorgeant de corps et de sourires, accompagnée de la légende : Nouveau Record du Monde : Trente-Six Étudiants Anglais Dans Une Cabine Téléphonique. Le combiné posé sur son support lui donna envie de téléphoner à sa femme (Je t'aime, je n'ai jamais cessé de t'aimer, nous allons lutter ensemble pour notre couple) et c'est pourquoi il s'éloigna presque au galop et dévala les marches du *Noite e Dia* vers le snack-bar du sous-sol, et poussa la porte de verre de l'entrée, devançant le portier qui ressemblait à son professeur de septième.

Entre les mangeoires du comptoir tout en longueur s'établissait une sorte de solidarité de dernière cène qui aidait le psychiatre à se maintenir debout à l'intérieur de lui-même, comme si son coude gauche et son coude droit lui servaient d'attelles, maintenant assemblés les os brisés en mille morceaux de son désespoir et les empêchant de s'éparpiller par terre telles des baguettes de mikado. Il s'installa entre un jeune homme sérieux précocement vêtu en bibliothécaire triste et un couple en crise, plongé dans une silencieuse haine conjugale, fumant avec rage, les yeux fixés sur l'horizon d'un divorce litigieux, il demanda au serveur un bifteck vite fait et un verre d'eau, et se mit à observer les commensaux d'en face, pour la plupart des jeunes femmes qui passaient à tour de rôle dans un cabaret voisin, immobiles au-dessus de leur café comme des curés devant des eucharisties pétrifiées. Leurs doigts aux immenses ongles rouges tenaient des cigarettes américaines de contrebande dont la fumée leur servait à encenser rituellement leur tasse, et le médecin s'amusa à découvrir sur leurs visages, sous le maquillage de mauvaise qualité et les expressions factices apprises en regardant les films du cinéma *L'Éden*, les rides qu'une enfance de privation imprime pour toujours au coin des lèvres et à l'angle des paupières, hiéroglyphes indélébiles de la misère. Lorsqu'il était célibataire, il fréquentait parfois les bars de prostituées situés sur les franges du Bairro Alto, dans des ruelles bossues et sombres comme des orbites vides, pour les entendre inventer devant des bières tièdes d'émouvantes adolescences vertueuses à la Corin Tellado [1] et de proches avenirs de naufrage, sans survivants : Putain de capitalisme, pensa-t-il, tu n'as même pas épargné ces malheureuses ; mourons, et que vive cette saloperie de système, et ses guerres mondiales avec lesquelles tu résous tes crises d'agonie : on baisse le taux de chômage à coups de mil-

1. Corin Tellado. Femme de lettres de langue castillane, auteur de romans populaires.

lions de victimes, on bat les cartes et on recommence le jeu, puisque, comme dit l'autre, finalement ce qui compte ce n'est pas qu'il y ait des gens qui meurent de faim parce que, l'un dans l'autre, il y a encore beaucoup de gens qui ont à manger. Il lui arrivait de les accompagner en taxi dans les chambres sans ascenseur où elles habitaient, et il était surpris de voir leurs meubles faits avec des caisses, les photos dans des cadres en cuivre et leurs malles de vêtements en carton, tapissées de papier bleu avec des petites étoiles comme à l'intérieur des enveloppes : ces nanas, s'étonnait le psychiatre, conservent intacts les goûts et les préférences des bonnes de province qu'elles ont peut-être été, malgré le Rimmel de droguerie et les parfums genre insecticide sous lesquels elles se dissimulent ; il subsiste en elles une authenticité atavique qui me dépasse, moi qui ai été élevé entre des messes du septième jour et des bonnes manières, et quand elles lavent leur tronche dans le lavabo d'émail et se mettent au lit pour dormir, l'ampoule du plafond, suspendue à un fil, sans abat-jour, à la façon d'un globe oculaire sorti de son orbite, ressemble à la lampe de *Guernica* éclairant un paysage dévasté. Et moi je suis ici en état de péché mortel comme celui qui communie sans s'être confessé.

Mastiquant son bifteck, le nez dans son assiette, le médecin sentait la tension du couple à sa gauche se rapprocher de l'état gazeux d'une discussion furibonde, marée haute balayant du sable du passé les débris des souvenirs agréables, les difficultés supportées en commun, les maladies des enfants veillées avec un redoublement d'attentions.

L'homme tripotait les clés de sa voiture, les narines dilatées en les pétrissant de ses mains qui tremblaient, la femme, un sourire de défi glacé sur ses lèvres, frappait sur son verre de bière avec une cuiller à café à un rythme de tambour militaire : son profil, contracté comme celui d'un chat qui se prépare à sauter, ressemblait à celui des gargouilles des fontaines figées dans des colères de pierre. Le jeune homme-notaire, de l'autre côté, expliquait à la grosse dame qui l'accompagnait l'intrigue du *Cousin Basile*[1] avec la suffisance digne des gens très stupides : on devinait en lui un juge de la cour suprême ou le président de l'assemblée générale d'un club sportif débitant d'un air profond de pompeuses inanités, et le psychiatre eut pour cet individu le flux de compassion sincère qu'il réservait à ceux qui, emmurés dans une imbécillité irrémédiable, ne s'apercevaient pas de l'existence des autres. Deux étrangers descendirent les escaliers et s'assirent à côté des filles du cabaret, qui commencèrent immédiatement à s'agiter comme des chiens de chasse à l'approche du gibier : une blonde aux seins volumineux recouverts d'un maillot très collant leur sourit avec effronterie et le médecin sentit naître dans son pantalon une érection fraternelle, pendant que les étrangers se consultaient, en chuchotant, sur la stratégie à suivre : on voyait clairement qu'ils hésitaient, partagés entre l'embarras et le désir. La blonde prit un fume-

1. *Le Cousin Basile* (1878) : roman d'Eça de Queiros qu'on a souvent comparé à *Madame Bovary* bien que, à la différence d'Emma, l'héroïne aime son mari.

cigarette de cinquante centimètres de long dans son sac et demanda du feu à l'un d'eux, le regardant sans détourner les yeux : dans son corsage serré, sa poitrine se gonfla comme celle d'un pigeon en rut, et l'étranger, effrayé par cette plante carnivore qui le menaçait, recula le buste ; en fouillant dans ses poches il finit par trouver une pochette d'allumettes offerte par une compagnie aérienne ; une flamme inquiète ondula : Tu viens d'arriver, innocent aux mains pleines, pensa le médecin en entamant sa mousse au chocolat et en observant le visage ébahi de l'étranger, tu viens d'arriver et déjà tu vas jouir comme jamais tu n'as pensé pouvoir jouir durant ta putain de vie, comme jamais tu n'as joui pendant ces coïts aseptisés au cours desquels tu as baisé. Et il se souvint du moment précis précédant l'éjaculation, quand le corps, transformé en une vague qui monte en rouleaux successifs de plaisir, toujours plus forte, plus lourde, plus dense, éclate tout à coup dans une explosion d'écume de la dimension du monde, et des petits morceaux de notre corps volent indépendamment de nous vers tous les coins du drap, et nous nous endormons, liquéfiés, dans un alanguissement sans couleur, naufragés jubilant de tendresse. Il se rappela un week-end qu'il avait passé avec sa femme, alors qu'ils étaient déjà séparés, dans une petite auberge du Guincho, tapie sous un rempart contre le vent, les mouettes et les gifles de sable la nuit, et la chambre qu'ils avaient occupée face à la mer, où le balcon étroit leur donnait l'impression de planer au-dessus de l'eau. Là, étendus côte à côte sur le matelas, ils s'étaient aimés, émerveillés de se redécouvrir, pore après pore, dans chaque caresse, dans chaque long baiser, dans chaque voyage d'amour : et une fois de plus c'était lui qui n'avait pas eu le courage de continuer et, terrifié, avait renoncé à lutter pour leur couple. Écoute, articula le psychiatre à l'intérieur de lui-même, raclant sa coupe de mousse au chocolat, écoute : tu existes si profondément en moi, tes racines sont si nombreuses, et musclées et violentes, que rien ni personne, pas même moi, ne pourra jamais les couper ; et quand je parviendrai à vaincre ma lâcheté, mon égoïsme, cette boue de merde qui m'empêche de te donner et de me donner, quand je parviendrai à cela, quand j'y parviendrai vraiment, je reviendrai.

La blonde et l'un des étrangers sortirent la main dans la main vers l'avenue Duque-de-Loulé, pendant que l'autre était assiégé à son tour par une petite brune maigrichonne ressemblant à une mouche à vinaigre, qui s'exprimait avec de grands gestes de commedia dell'arte frénétique. Le couple brouillé se retira en écumant de haine : tous deux avançaient avec les précautions des porteurs d'images saintes lors des processions, de façon à ne pas renverser une seule goutte de leur colère mutuelle. La mère (ou l'épouse ?) du jeune homme bibliothécaire demanda l'addition. Les serveurs bavardaient avec le cuisinier autour du percolateur. Le dernier sorti éteint la lumière, pensa le médecin, se souvenant de sa peur infantile du noir. Si je ne mets pas les voiles, je suis cuit ; il ne restera plus que moi.

Tous les soirs, approximativement à cette heure, le psychiatre prenait l'autoroute puis l'avenue qui longe le Tage pour retourner au petit appartement sans meubles où personne ne l'attendait, perché à Monte Estoril dans un immeuble trop luxueux pour sa timidité. Dans l'énorme hall de verre et de métal, avec un étang, des plantes de jardin botanique et différentes dénivellations de pierre, il y avait, sur le bureau du concierge, une panoplie de boutons grâce auxquels une voix désincarnée de Jugement dernier faisait résonner aux différents étages ses commandements domestiques, avec des sonorités divines de seau percé ou de garage souterrain. M. Ferreira, propriétaire de cette terrible voix, habitait au sous-sol de l'immeuble, protégé par une porte genre coffre-fort que l'architecte devait avoir trouvée adéquate pour ce décor de bunker prétentieux : c'était probablement lui qui avait peint l'inoubliable lévrier du magasin de meubles, ou qui avait conçu le lustre d'aluminium très original : ces trois remarquables élucubrations possédaient une étincelle de génie commun. Non moins remarquable, d'ailleurs, était la salle de séjour de M. Ferreira, dont le médecin se servait parfois pour y donner des appels téléphoniques urgents, et où figurait, parmi d'autres merveilles de moindre valeur (un étudiant de Coimbra en faïence jouant de la guitare, un buste du pape Pie XII aux yeux maquillés, un âne de Bakélite avec des fleurs de plastique dans ses sacoches), une grande tapisserie murale représentant un couple de tigres arborant l'air bonasse des vaches des triangles de fromage, qui mastiquaient, avec une répugnance de végétariens, une gazelle ressemblant à un lapin maigrichon, tout en fixant un horizon de chênes verts dans l'attente morose d'un miracle. Le médecin restait toujours l'écouteur à la main, oubliant son coup de fil, et il examinait avec stupéfaction une œuvre aussi abracadabrante. La femme de M. Ferreira, qui éprouvait pour lui la sympathie instinctive qu'éveillent les orphelins, sortait de la cuisine en s'essuyant les mains sur son tablier.

— Docteur, vous aimez beaucoup mes deux petits tigres, pas vrai ?

Et elle se plaçait à côté du psychiatre, la tête penchée, pour contempler ses animaux avec orgueil, jusqu'à ce que M. Ferreira surgisse à son tour et prononce, avec sa célèbre voix divine, la phrase qui résumait pour lui le comble de l'admiration artistique :

— On dirait même qu'ils parlent, ces salauds.

Et de fait le médecin s'attendait à tout moment à voir l'un des animaux tourner vers lui ses yeux de soie torse pour murmurer Ah, Jésus ! en un gémissement d'affliction.

Conduisant sa voiture sur l'autoroute, attentif aux volumes d'ombre que les phares découvraient puis dévoraient, arbres arrachés à l'obscurité tragiquement irréels, arbustes enchevêtrés, écharpe sinueuse et tremblante de la chaussée, le psychiatre pensa que, à part la tapisserie de M. Ferreira, Estoril et lui ne possédaient rien d'autre en commun : il était né dans une maternité de pauvres et avait grandi et toujours vécu, jusqu'au moment où il avait quitté sa maison quelques mois auparavant, dans un quartier de pauvres ignorant le luxe des villas avec piscine et des hôtels internationaux. La brasserie *Estrela Brilhante* était sa pâtisserie Garrett, les gâteaux étant remplacés par des abats de poulets et des graines de lupin, et les dames de la Croix-Rouge par des conducteurs de tramway, qui, lorsqu'ils enlevaient leur casquette pour s'essuyer le front avec un mouchoir, donnaient l'impression de se retrouver tout nus. À l'étage situé en dessous de chez ses parents habitait Maria Feijoca, propriétaire du magasin de charbon et, dans la maison voisine, Dona Maria José qui se livrait à d'obscures opérations de contrebande. Il connaissait les noms des commerçants et les surnoms des voisins, et ses deux grands-mères saluaient les vendeuses du marché avec des politesses de châtelaines. Florentin, déménageur légendaire perpétuellement saoul, dont les costumes déchirés s'agitaient autour de son corps comme des plumes détachées, lui rappelait, chaque fois qu'il le rencontrait, avec une familiarité décuplée par le vin rouge Votre petit papa est l'un de mes amis intimes, lui faisant des signes au seuil de la taverne de la rue du cimetière, dont l'écriteau Je Vous Attends À Votre Retour conférait à la mort l'importance secondaire d'un prétexte : l'agence Martelo (« Pourquoi Votre Excellence s'obstine-t-elle à vivre si, pour cinq cents *escudos*, elle peut avoir de belles funérailles ? ») exhibait les cercueils et les petites mains de cire placées juste au-dessus, stratégiquement à mi-chemin entre la tombe et le picrate. Le médecin ressentait une immense tendresse pour le Benfica de son enfance transformé en Povoa de Santo Adrião par la cupidité des promoteurs, la tendresse que l'on éprouve pour un vieil ami défiguré par de multiples cicatrices et dans le visage duquel on cherche en vain les traits complices d'autrefois. Quand ils démoliront l'immeuble de Pires, dit-il en pensant à l'énorme et vieil immeuble devant la maison de ses parents, comment repérerai-je le nord et m'orienterai-je, moi qui ai gardé si peu de points de référence et ai tellement de mal à m'en fabriquer de nouveaux ? Et il s'imagina à la dérive dans la ville, sans boussole, perdu dans un labyrinthe de ruelles transversales, parce que Estoril resterait toujours une île étrangère à laquelle il se sentait incapable de s'adapter, loin des bruits et des odeurs de sa forêt natale. De son appartement, il apercevait Lisbonne et, en regardant la tache allongée de la ville, il la sentait en même temps proche et lointaine, douloureusement lointaine et proche comme ses filles, sa femme, et le grenier au plafond oblique où elles habitaient (elle l'appelait le *Patio das*

Cantigas[1]), encombré de gravures, de livres et de jouets d'enfants, en désordre.

Il sortit à Caxias où les vagues assaillaient la muraille et formaient des rideaux verticaux. C'était une nuit sans lune et le fleuve se confondait avec la mer dans l'espace noir à sa gauche, gigantesque puits déserté par les lumières de bateaux : les lampes rouges du restaurant *Monaco* ressemblaient, derrière les vitres humides, à des fanaux anémiques dans la tempête : j'ai dîné là quand je me suis marié, pensa le psychiatre, et jamais plus je n'ai assisté à un dîner aussi miraculeux : même du rôti montait une odeur de surprise ; après le café, je découvris que, pour la première fois, je n'avais pas besoin de te ramener chez toi, et cela déclencha dans mes tripes une formidable joie, comme si j'avais commencé, à partir de ce moment, ma vie d'homme, s'ouvrant, malgré l'imminence de la guerre, sur une vigoureuse perspective d'espoir. Il se souvint de la voiture que sa grand-mère leur avait prêtée pour la lune de miel et qui avait été le dernier véhicule de son mari, et du ronronnement de berceuse du moteur, il se souvint de la sensation étrange de l'alliance à son doigt, du costume qu'il avait étrenné cet après-midi-là et de la façon pathétique dont il s'était occupé des plis de ses pantalons. Je t'aime, répéta-t-il à haute voix, accroché à son volant comme à un gouvernail cassé, je t'aime je t'aime je t'aime je t'aime je t'aime, j'aime

1. Allusion à un film d'Antonio Ribeiro Lopês (*O Patio das Cantigas*, 1932) évoquant une petite cour d'immeuble très animée à Lisbonne.

ton corps, tes jambes, tes mains, tes yeux pathétiques d'animal : et il était pareil à un aveugle continuant à bavarder avec une personne qui est sortie à pas de loup de la pièce, un aveugle hurlant pour avoir une chaise vide, tâtant l'air, palpant avec ses narines une odeur qui s'évaporait. Si je rentre chez moi maintenant, je suis foutu, dit-il, je ne me sens pas capable d'affronter le miroir de la salle de bains et tout ce silence qui m'attend, mon lit fermé sur lui-même comme une moule visqueuse. Et il se souvint de la bouteille d'eau-de-vie de la cuisine et du fait qu'il pouvait toujours s'asseoir sur le banc de bois de la terrasse, un verre à la main, pour voir les immeubles descendre pêle-mêle vers la plage, entraînant leurs balcons, leurs arbres, leurs jardins torturés : il lui arrivait de s'endormir à la belle étoile, la tête appuyée contre le store, un bateau qui sortait de l'embouchure du Tage voyageait sous ses paupières fatiguées, et il obtenait ainsi une sorte de repos, jusqu'à ce qu'un début de clarté violette, jointe aux moineaux, le réveillât et l'obligeât à tituber vers le matelas, tel l'enfant somnambule qui va faire pipi la nuit. Et sur le banc de la terrasse adhéraient des fientes solidifiées d'oiseaux, qu'il arrachait avec les ongles et qui avaient le goût de la craie de son enfance, dévorée en cachette au cours des brèves absences de la cuisinière, dictateur absolu de cette principauté de casseroles.

Il y avait peu de voitures sur la route et le psychiatre conduisait lentement, du côté droit de la chaussée, collé au trottoir, depuis que, un matin de la semaine précédente, une mouette égarée s'était abattue sur son pare-brise dans un bruit mou de plumes, et que le médecin l'avait vue, derrière lui, agiter sur l'asphalte l'agonie de ses ailes. La voiture qui le suivait s'était arrêtée près de l'animal, et lui, tout en s'éloignant, avait remarqué dans son rétroviseur que le conducteur était descendu et s'était dirigé vers le petit monticule blanc bien net sur le goudron, qui diminuait à mesure que croissait la distance. Une vague de culpabilité et de honte qu'il ne réussissait pas à expliquer (culpabilité de quoi ? honte de quoi ?) l'envahit de l'estomac jusqu'à la bouche dans un reflux d'aigreur, et il pensa, sans raison apparente, à une phrase sévère de Tchekhov : « Offre des hommes aux hommes, ne leur offre pas toi-même » ; ensuite le psychiatre se souvint de *La Mouette* et de la profonde impression que la lecture de la pièce lui avait causée, des personnages apparemment suaves, à la dérive dans un décor apparemment suave et gai (Tchekhov se considérait sincèrement comme un auteur de comédie), mais chargé de la terrifiante angoisse de la vie que seul peut-être Fitzgerald avait su plus tard retrouver et qui surgit, par moments, dans le saxophone de Charlie Parker, nous crucifiant tout à coup en un solo désespéré qui résume toute l'innocence et la souffrance du monde dans le souffle lancinant d'une note. Alors le médecin pensa : Cette mouette c'est moi, et celui qui se fuit lui-même, c'est moi aussi. Et je n'ai même pas le courage nécessaire pour faire demi-tour et pour me venir en aide.

Dans la montée-descente d'Estoril, en croisant la masse grise du Vieux Fort avec son énorme et horrible poisson de métal suspendu au-dessus des couples qui dansaient (Cela fait combien de temps que je n'y suis pas allé ?), le psychiatre imagina de nouveau son appartement désert, le miroir de la salle de bains et la bouteille dans la cuisine à côté du gobelet de métal, uniques bouées de sauvetage au milieu du silence désolé de la maison. Dehors, à l'entrée de l'immeuble, les feuilles sèches des eucalyptus bruissaient constamment sous les rafales de vent, avec le claquement de dentiers qui s'entrechoquent. Les voitures des locataires, presque toutes luxueuses et spacieuses, appuyaient leur nez sur le mur comme des enfants boudeurs. Dans sa boîte aux lettres, dont il extrayait tel ou tel prospectus oublié ou le tract de propagande hebdomadaire du CDS[1] qu'il s'empressait d'introduire, sans le lire, dans la boîte de la propriétaire, tract qui déclarait avec emphase Il faut rendre à César ce qui appartient à César, il n'y avait jamais de lettre pour lui : il se sentait comme le colonel de García Márquez, habité par la solitude irrémédiable et par les champignons phosphorescents de ses tripes, attendant des nouvelles qui n'arriveraient jamais, et pourrissant lentement dans cette attente inutile alimentée par un vague sésame de promesses. De sorte que, lorsque le feu passa au vert, il changea soudain d'avis, tourna à droite et se dirigea vers le Casino.

1. CDS (Centre démocratique social), parti de droite auquel adhérèrent de nombreux rescapés du salazarisme après le 25 avril.

Au sommet d'une espèce de parc Édouard-VII en réduction bordé de palmiers hémophiles dont les branches grinçaient des protestations de tiroirs récalcitrants, d'hôtels sortis de films de Visconti, habités par des personnages de Hitchcock et par des gardiens de parking manchots, aux yeux affamés cachés sous les visières de leurs casquettes comme des oiseaux avides pris dans le filet plissé des sourcils, l'édifice du Casino ressemblait à un grand transatlantique moche, décoré de guirlandes de lumières, parmi des villas et des arbres, battu par les vagues de musique du *Wonder Bar*, par les cris de mouettes enrouées des croupiers et par l'énorme silence de la nuit maritime autour de laquelle montait une dense odeur d'eau de Cologne et de menstrues de caniche.

Les trains partant de la station de Tamariz vers Lisbonne emmenaient avec eux, sur leurs banquettes vides, les vers de ce Dylan Thomas que tu aimais tant :

In the final direction of the elementary town
I advance for as long as forever is.

Et le médecin s'imagina la tête dodelinante dans un wagon désert, se dédoublant de l'autre côté de la vitre en maisons, en fragments de muraille et en lumières de bateaux, au rythme des mots du poète que sa femme avait l'habitude d'emporter dans leur lit et avec lequel elle établissait un dialogue silencieux et parfait qui l'excluait :

for the lovers
Who pay no praise or wages
nor heed my craft or art.

Dylan Thomas est le type dont, jusqu'à aujourd'hui, j'ai été le plus jaloux, pensa le psychiatre en laissant sa voiture à l'ombre protectrice d'un autocar de touristes, dont le conducteur expliquait à un chauffeur de taxi émerveillé les mérites intimes des Françaises d'un certain âge, capables de rendre le coït aussi léger et aussi facile à digérer qu'un soufflé d'asperges. J'ai désespérément haï Dylan Thomas et les poèmes tumultueusement convaincants avec lesquels ce gros ivrogne roux voyageait en ta compagnie dans des pays intérieurs auxquels je n'avais pas accès, proches des rêves dont m'arrivaient des échos estompés à travers les mots épars que tu mâchonnais dans une extase de sirène naufragée. J'ai détesté Dylan Thomas sans même que tu t'en sois douté, dit le médecin en marchant sur la pelouse humide de la nuit vers le pont du Casino et ses matelots déguisés en grooms majestueux remplaçant les cendriers avec des gestes lents de vestales, j'ai détesté ce rival défunt qui venait du brouillard des îles du

Nord avec un sourire de corsaire pensif sur ses joues innocentes, ce fumier de Gallois, qui rompait les épaisses digues du langage avec des phrases venteuses pleines de cloches et de crinières, cet amant d'écume, ce fantôme à taches de rousseur, cet homme qui habitait dans une bouteille de whisky comme les bateaux des collectionneurs, brûlant dans sa flamme d'alcool avec la douloureuse grâce d'un phénix réfractaire. Caitlin, dit le psychiatre en échangeant avec le portier de vagues sourires cabalistiques à la Chirico, Caitlin de New York je t'appelle *under the milk wood* en ce mois de novembre 1953 où je suis mort, avec une île s'évanouissant dans le paysage de ma tête que cerne la colère vorace des albatros, Caitlin, un de ces jours je descendrai à Tamariz et je prendrai un train pour le pays de Galles où tu m'attends devant un thé aussi triste que la couleur de tes yeux, assise dans le salon où rien n'a changé, avec une fumée épaisse de pub qui te sépare, solidement, de la hâte de mes baisers. Caitlin, ce mugissement affligé de phare est mon beuglement de bœuf nostalgique qui te cherche, ce sifflement modulé de locomotive le chant d'amour dont je suis capable, ce bruit de tripes un sursaut de tendresse émue, ces pas dans l'escalier mon cœur à ta rencontre : nous allons revenir au tout début, mettre au propre la copie de notre vie, recommencer, jouer au crapaud le soir, boire de la liqueur de griottes, descendre la poubelle, dans un tintamarre de clown pauvre, sous les regards apeurés des voisins et des chats, ouvrir une boîte de caviar et manger lentement les petits grains de plomb jusqu'à ce que, devenus les cartouches de chasseurs furtifs, nous tirions l'un sur l'autre dans le feu d'artifice d'une explosion finale, et ce sera un peu cela, Caitlin, notre façon de partir.

Dans le hall du Casino une excursion d'Anglaises débarquées d'un autocar aussi somptueux que la salle de séjour de Clark Gable, aux vitres remplacées par des tableaux de Van Eyck laissaient échapper de leurs bouches pâles des exclamations d'enthousiasme compassé. Un colonel colonial qui pétillait de black velvets dans son smoking blanc partageait ses moustaches grisâtres entre deux Indiennes en sari, énigmatiques reines de trèfle, qui glissaient sur le sol comme si des roues de caoutchouc étaient cachées sous le fatras de leurs robes. Des Suédois transparents aux cernes d'insomnie dus à six mois de longues journées s'appuyaient sur des Mexicains de la couleur des olives d'Elvas, que John Wayne tuait film après film avec une jubilation d'insecticide efficace. Des comtesses polonaises décrépites se penchaient les unes vers les autres comme des points d'interrogation croulants : le fard flottait autour de leurs rides sans adhérer à la peau, pollen qui attirait des insectes sénégalais aux grandes orbites globuleuses, et aux doigts desquels scintillaient des dizaines de bagues papales. De temps en temps, les cuisses moulées dans des bas noirs des danseuses françaises de cabaret, ou les mandibules démesurément ouvertes de l'avaleur de sabres tibétain s'échappaient par l'ouverture des rideaux du restaurant, tels des jets de vapeur par les fentes d'une cocotte. Une chanteuse de fado enveloppée dans son châle s'était retirée dans une méditation tragique à la Phèdre, tenant des deux mains un verre de gin rituel. Des messieurs obèses, au gilet déboutonné, quittaient les toilettes avec l'air soulagé de quelqu'un qui revient du confessionnal, ou ronflaient au hasard des canapés. Derrière le paravent des machines à sous cliquetaient des centaines de tirelires voraces, vomissant le surplus de leurs estomacs dans leurs bavoirs chromés. Être ici, pensa le médecin, en dépassant une chaise roulante qui transportait un homme tronc, c'est comme se réveiller tout à coup au milieu de la nuit avec l'impression que le lit a changé de place dans l'obscurité et se trouver dans un pays différent, loin de nos eaux territoriales familières, sous cette lumière blanche verticale de ring qui agit comme un révélateur en nous montrant trop de rides dans les miroirs, se réveiller soudain au milieu de la nuit et plonger dans un cauchemar dérisoire peuplé d'une foule inquiète qui cherche dans l'agitation sans raison sa raison de s'agiter : comme moi, ajouta le psychiatre, qui en même temps fuis et suis en quête de quelque chose, tournant en rond sans but et sans fin, chien sans tête mais avec deux queues qui se poursuivent et se repoussent, gémissant tristement des plaintes mélancoliques de solitaire. J'avais remplacé mon existence rangée par les pauvres girandoles vaines d'un scribouillard délirant faisant virevolter des joies factices de carton-pâte ; ma vie s'était transformée en un décor de plastique, imitation schématique d'une réalité trop complexe et trop exigeante pour ma panoplie réduite de sentiments disponibles. Et ainsi, pierrot insignifiant d'un carnaval frustré, je me consumais rapidement dans une petite flamme portative d'angoisse.

Le médecin échangea deux billets d'un *conto* contre quatre jetons de cinq cents escudos et s'installa à sa banque française[1] favorite, presque désertée par les joueurs parce qu'elle donnait des résultats trop irréguliers. Il sentait dans son dos la frénésie des tables de roulette, dont la morosité l'impatientait, avec leurs croupiers comptant d'interminables piles de jetons et un essaim de parieurs autour d'eux, penchés sur le tapis vert et manifestant un appétit de mante religieuse. Le psychiatre remarqua spécialement une Anglaise très grande et très maigre, avec une robe à bretelles accrochée au portemanteau de ses clavicules, luisant encore de crème solaire, ses mains squelettiques égrenant des jetons qu'elle plaçait par-dessus les épaules des autres avec des gestes anguleux de grue. Le croupier annonça Petit, le banquier ramassa les jetons perdants et doubla la mise des gagnants : le médecin vit que la femme assise à sa gauche avait noté trois Petits successifs après deux Grands, de sorte qu'il poussa cinq cents escudos vers la zone du Grand et attendit. D'abord tâter le terrain, se dit-il, selon la technique de ma mère au marché : qu'au moins le fait de l'avoir tellement vue marchander les fruits me serve à quelque chose. Et il sourit en imaginant ce que sa mère, créature prudente et mesurée penserait si elle le voyait, là, en

1. Jeu pratiqué au Portugal avec trois dés. Le croupier annonce « Petit » lorsque la somme des dés est équivalente à 5, 6 ou 7, « Grand » lorsque apparaissent 14, 15 ou 16.

train de risquer des sommes qu'elle considérait faramineuses, se couchant tard pour arriver encore plus tard à l'hôpital le lendemain, dévalant à toute vitesse la pente savonneuse d'une ruine certaine : des histoires tragiques de fortunes évaporées au Casino couraient lugubrement au cours des veillées familiales, racontées d'une voix caverneuse par les aèdes de la tribu. La tante Mané, octogénaire historique dont le sourire s'ouvrait un chemin zigzaguant à travers des fards et des crèmes desséchées, avait perdu l'argenterie de la maison au baccara et utilisait une reconnaissance du mont-de-piété en guise de carte d'identité.

— Petit, dit le croupier en posant le cornet à dés et en s'absorbant immédiatement dans une conversation à voix basse avec le chef de partie : leurs têtes étaient légèrement inclinées comme celles des apôtres de la Cène, Jésus et saint Jean partageant les délices de l'Esprit Saint. Le banquier saisit le jeton du médecin, manœuvrant habilement comme une langue de caméléon qui aurait gobé une mouche imprévoyante. La femme nota consciencieusement Petit, elle était grosse et blonde, assez décatie et portait un manteau de fourrure synthétique sur ses épaules ramollies : son profil ressemblait à celui de Lavoisier sur le portrait ovale du livre de physique de troisième du collège et elle jouait chaque fois deux cent cinquante escudos avec la détermination rageuse de quelqu'un qui perd obstinément. De l'autre côté de la table, une vieille dame à l'air décadent lançait sans relâche des jetons de vingt escudos vers les as en espérant un miracle. Deux individus à l'air de chefs de chantier prospères hésitaient, une allumette entre les dents : le chewing-gum des gens de Tomar, pensa le psychiatre en pariant de nouveau sur le Grand, des seiches marinant dans leur encre, une Mercedes Diesel jaune canari et Villa Mon Rêve sur la façade de leur maison. La femme au léopard en acrylique s'abstint. Un 12, un 13, un 14, un 12 et un 18 sortirent : les contremaîtres placèrent chacun cinq mille escudos sur le Petit. Un jeune homme roux surgit derrière la nuque du médecin et lança cinq cents sur le Grand : Je suis foutu, pensa le psychiatre sans raison apparente, sinon une crampe d'avertissement dans l'œsophage. Il tendit le bras pour retirer son argent et allait le repêcher quand le croupier leva le menton et annonça Petit avec une cruelle indifférence. Croupiers et analystes, allez tous vous faire foutre !

— Je te dis adieu et, comme un adolescent, je titube de tendresse pour toi, murmura le médecin à l'intention du jeton que le banquier lui prenait, pour le ranger avec ceux qui s'amoncelaient devant lui, si ce merdier continue, d'ici peu je vais enlever mes chaussettes pour les placer sur les as, gagner un maillot Formule 1 et me suicider en avalant une dose excessive de jetons de cent balles. La grosse bonne femme se rapprocha de lui sur sa chaise et sa cuisse toucha celle du médecin, qui par gratitude l'imita dans son intuition de miser sur le Grand : il se sentait moins seul depuis qu'un bourrelet de chair étrangère lui comprimait le genou. Changeant d'avis, les chefs de chantier misèrent sur le Petit, le jeune homme roux, dépité, s'éloigna en rouspétant ;

il y avait toujours un roux dans les classes du lycée Camões, se rappela le psychiatre, un petit gros et un binoclard aux premiers rangs ; le petit gros était le plus mauvais en gymnastique, celui à lunettes le meilleur en géographie et le roux la victime favorite des professeurs désireux de se venger des farces anonymes : pipis dans la corbeille à papier, aboiements au milieu de la lecture des *Lusiades*[1], gros mots écrits à la craie sur le tableau noir : à la fin du deuxième trimestre, leurs parents, également roux, les mettaient dans des collèges privés peut-être réservés aux roux où l'on se prêtait, en toute liberté, des photos pornographiques représentant des Noirs athlétiques sodomisant des chiennes, des curés en soutane se masturbant dans le confessionnal, des homosexuels sans os se livrant à des orgies débridées. La grosse femme lui sourit : il lui manquait une incisive supérieure et ses gencives étaient pâles comme celles de Vasco de Gama au quarantième jour d'avitaminose.

— Grand, proclama le croupier qui riait respectueusement d'une blague quelconque du chef de partie.

C'est curieux comme les plaisanteries des supérieurs sont toujours drôles, vérifia le médecin en se répétant la phrase cueillie dans la bouche de son frère, que la flagornerie surprenait comme un phénomène incompréhensible : le banquier se pencha

1. Les *Lusiades* (1572) : poème épique de Luís de Camões retraçant les grandes découvertes portugaises et certains épisodes de l'histoire nationale, en particulier la fin émouvante d'Inês de Castro.

vers le croupier qui lui répétait l'anecdote du chef, lequel approuvait gravement avec un sourire solennel, et en même temps ajustait les pointes de son col.

— C'est vrai ou non, Meireles ?

Meireles, qui changeait des jetons à un bossu, haussa les sourcils sans lever les yeux de sa tâche, avec l'air entendu que prenaient les tantes du psychiatre pour répondre aux questions de leurs neveux tout en comptant les mailles de leur tricot. Aurai-je grandi, suis-je réellement parvenu à grandir, se demanda le psychiatre en répondant du genou à la pression de la hanche de la femme au léopard synthétique dont la paupière l'évaluait de biais, lentement, prudemment, ai-je vraiment grandi ou suis-je resté un gamin craintif accroupi dans le salon parmi des adultes gigantesques qui m'accusent, me fixent en silence avec une hostilité horrible, ou toussotent légèrement, derrière deux doigts, leur réprobation résignée ? Donnez-moi du temps, demanda-t-il à cette assemblée d'idoles de l'île de Pâques qui le poursuivait d'un amour férocement déçu, donnez-moi du temps et je serai exactement ce que vous désirez comme vous le désirez, sérieux, bien élevé, responsable, adulte, serviable, sympathique, empaillé, méticuleusement ambitieux, sinistrement joyeux, ténébreusement dégourdi et définitivement mort, donnez-moi du temps,

give me time
Only give me time
time to recall them
before I shall speak out

Give me time
time.
When I was a boy
I kept a book
to which from time
to time,
I added pressed flowers
until, after a time,
I had a good collection.
But the sea which no one tends
is also a garden
when the sun strikes it
and the waves
are awakened.
I have seen it
and so have you
when it puts all flowers
to shame.

Du temps, répéta le médecin, j'ai absolument besoin de temps pour m'habiller de courage, coller tous mes hier dans mon album photo (« *who'd think to find you in a photograph, perfectly quiet in the arrested chaff* »), mettre de l'ordre dans les traits de mon visage, vérifier la position de mon nez dans le miroir et avancer vers le jour qui commence avec la solide détermination d'un vainqueur. Du temps pour t'attendre à la sortie du ministère, monter avec toi les escaliers, introduire la clé dans la serrure et me précipiter en t'enlaçant, sans allumer la lumière, sur le lit vaguement éclairé par les aiguilles phosphorescentes du réveil électrique, embarrassé par l'excès de vêtements et par les sanglots de tendresse, réapprenant le braille de la passion. La grosse femme posa sur son bras ses ongles très longs rouge foncé : son poignet, ressemblant à celui d'un lézard desséché, s'ornait d'un bracelet en simili filigrane, avec une énorme médaille de Notre-Dame de Fátima qui cliquetait contre une amulette d'ivoire, et le psychiatre se sentit tout près d'être dévoré par un reptile du tertiaire dans les mandibules duquel le sang du rouge à lèvres révélait clairement de monstrueuses intentions assassines. Les yeux du dinosaure le fixaient avec l'intensité postiche du Rimmel, sous les sourcils épilés jusqu'à l'épaisseur d'une courbe de tire-ligne, et sa poitrine montait et descendait à une cadence de branchie, conférant à ses multiples colliers le balancement de reins des barques amarrées à leur ancre. Ses doigts grimpèrent à la manière d'une araignée sur la manche du médecin, et lui pincèrent légèrement le pouce, pendant que sa cuisse absorbait complètement la sienne et qu'un talon pointu exerçait une pression sur son pied, à lui arracher la cheville d'une caresse malfaisante. Le bossu, installé à sa gauche, suçait bruyamment des pastilles pour la gorge en exhalant une odeur d'inhalations pour asthmatiques : si je fermais fortement les paupières pendant une seconde, je pourrais m'imaginer sans effort dans la chambre de Marcel Proust, caché derrière la pile de cahiers manuscrits de *À la recherche du temps perdu : c'est trop bête*[1], c'est ainsi qu'il avait l'habitude de définir ce qu'il écrivait, *je ne peux pas*

1. En français dans le texte.

continuer, c'est trop bête[1]. Cher oncle Proust : le papier peint sur le mur, la cheminée, le lit de fer, ta mort pénible et courageuse : mais dans la réalité je me trouvais installé à une table de jeu du Casino, et la solitude me rongeait à l'intérieur comme un acide douloureux : l'idée de mon appartement vide m'épouvantait, la solution de dormir de nouveau sur la terrasse me faisait gémir de lumbagos anticipés. L'âme en panique, je poussai le dernier jeton vers le Grand : si je gagne, je vais directement à Monte Estoril, je me glisse dans les draps et je me masturbe en pensant à toi jusqu'à ce que vienne le sommeil (recette au succès relatif) ; si je perds, j'invite ce vieux boa à une orgie modeste en rapport avec son manteau en acrylique, mes jeans élimés et une fin de mois difficile ; j'ignorais sincèrement laquelle de ces deux catastrophes je devais choisir, partagé, avec une horreur identique, entre la solitude et l'ophidien. Une superbe Espagnole frôla contre lui sa fesse magnifique, coussin brodé pour des têtes plus chanceuses : la période des vaches maigres serait certainement son destin perpétuel et il s'y installait confortablement avec une résignation bovine : quelque part un banc de jardin public attendait patiemment sa vieillesse mélancoliquement désœuvrée, et il se pourrait que, le mercredi, son frère cadet l'invitât à dîner chez lui, accompagnant le rôti de conseils et de reproches.

— Mère a toujours dit que tu ne serais jamais raisonnable.

1. En français dans le texte.

Et probablement non seulement il ne serait jamais raisonnable mais (plus grave encore) il n'atteindrait pas l'espèce de bonheur qu'entraîne l'absence de ce bizarre attribut, la raison, lest sans lequel on peut s'envoler vers les sommets agréables d'une folie gaie, sans corvées, ni préoccupations, ni projets, au gré d'une adolescence assumée comme état d'âme, comme vocation ou comme destin.

— Mère l'a toujours dit.

Mère avait toujours tout dit. Et il me semblait que le chef de table lui empruntait peu à peu son air prophétique, ses paupières affligées, son front ridé, sa cigarette allumée dessinant au bout de son bras des ellipses de désistement :

— Que peut-on espérer de ce garçon ?

Rien, affirma-t-il à haute voix avec une espèce de rage qui fit sursauter le bossu au moment exact où le croupier posait le cornet à dés, levait le menton, regardait autour de lui, resserrait sa cravate sur son cou et annonçait :

— Petit, dictant sans le savoir une sentence définitive.

— Vous êtes bien sûr d'être médecin ? lui demanda l'ophidien en regardant avec méfiance ses jeans rapés, son pull usé, ses cheveux dépeignés et négligés. Ils se trouvaient tous deux dans la petite voiture du psychiatre (« Je ne sais pas si je vais tenir là-dedans ») à côté de l'impressionnant autocar de touristes qui récupérait sa cargaison de vieilles Américaines en robe de soirée, les lunettes suspendues à leur cou par des chaînes d'argent telles des tétines de bébés, accompagnées d'individus rubiconds ressemblant au Hemingway des dernières photos.

— Je n'ai pas l'habitude de me méfier des gens mais on ne sait jamais, ajouta-t-elle en examinant, tel un policier, la carte professionnelle que l'autre lui tendait, et j'ai eu plus que mon compte d'embrouilles. On fait confiance on fait confiance et finalement on se fait couillonner Eh, mignonne, file-moi ton sac à main et on se retrouve au beau milieu de la route comme une andouille. Excusez-moi, je ne dis pas ça pour vous, le juste paie pour le pécheur comme disent les curés et on ne se méfie jamais assez. J'ai un cousin du côté de mon père qui est infirmier à São José, dans le pavillon un, Carregosa, vous connaissez ? Petit, trapu, chauve, un peu bègue, dingue du club de l'Atlético ? Il porte leur emblème sur sa blouse, il a joué chez les juniors, sa femme est paralysée et il passe son temps à dire Diantre Diantre. Vous excuserez ma prudence mais Mendes me répétait toujours : Dori (je m'appelle Dori), fais gaffe avec les inconnus car mieux vaut prévenir que guérir, je l'ai même entendu dire par une dame qui s'est fait enlever les seins à l'institut du cancer, elle remmaillait des bas, maintenant elle se remmaille à coups de bouteilles de sérum, elle est presque aussi mal que Mendes, le pauvre, qui a dû émigrer au Brésil après la révolution, il n'avait pas le choix, il m'a laissé une lettre formidable, il me garantissait qu'il me ferait venir auprès de lui, qu'il n'avait jamais aimé personne comme il m'aimait moi, il lui fallait seulement quelques mois pour se refaire une vie et tout serait okay, les mulâtresses il ne les regarde même pas parce qu'elles sentent mauvais. Un de ces jours, c'est une question de semaines, je prends le boingue pour Rio de Janeiro, il est docteur en finances et en économie, il ne va pas glander et rester sans boulot, je n'ai jamais vu une compétence comme Mendes, il travaille comme un bœuf le pauvre, bien qu'il soit faible des poumons et puis ce n'est pas seulement ça, c'est sa délicatesse, ses manières, sa façon de traiter une femme, il devine ce qu'on veut, il ne m'a jamais battue, presque toutes les semaines c'étaient des fleurs, des bijoux, des dîners au Comodoro, des soirées au cinéma. Je lui disais, évidemment, oh mon chou, je n'ai pas besoin de tellement de luxe mais Mendes savait que je n'avais pas un rond, il ne m'écoutait pas, c'était un saint pur sucre, je le vois avec ses pattes bien taillées (je lui ai offert un rasoir philichève à Noël), sa chemise de la marque Rose Noire impeccable, le vernis de ses ongles bien brillant.

Pause.

— Pourquoi vous ne mettez pas une cravate en soie naturelle, un veston pied-de-poule, de la laque brilcrim sur les cheveux ? Je n'ai jamais vu un médecin aussi mal fagoté, on dirait un mécanicien, les médecins doivent en imposer, n'est-ce pas, qui c'est qui a envie de se faire soigner par un psychiatre qui ressemble à un pope échevelé ? Moi, quand je vais au dispensaire, j'exige de la considération, du sérieux, on comprend tout de suite, en regardant la tête des gens, s'ils sont compétents ou non, tu ne trouves pas, les spécialistes qui se respectent portent un gilet, ont des béemdoublevés métallisées, des maisons avec des lustres, des robinets en or qui ont la forme de poissons qui crachent de l'eau, on entre chez eux et on remarque qu'il y a du fric, que les meubles quouinanes valent un max, dis-moi un peu, que fait-on aujourd'hui dans la vie sans argent, moi sans argent je sens que je meurs, c'est mon carburant, tu comprends, on m'enlève mon sac en crocodile et je deviens complètement dingue, je suis habituée au luxe, qu'est-ce que tu veux, peut être tu ne me croiras pas mais mon père était professeur à l'école vétérinaire de Lamego.

Elle prit une Camel de contrebande dans son horrible sac en carton simili croco, l'alluma avec un briquet de Bakélite imitation tortue. Le psychiatre nota que ses chaussures aux talons incroyablement hauts avaient besoin d'être ressemelées et que de grandes crevasses sans cirage striaient le cuir sur le cou-de-pied : soldes de la place du Chile, diagnostiqua-t-il. Les racines de ses mèches blondes étaient grisâtres à l'endroit de la raie, et la poudre de riz tentait en vain de masquer les multiples rides profondes autour de ses yeux et le long de ses joues, pendant du menton tels des rideaux de chair flasque. Elle devait trimbaler les photographies de ses petits-enfants (Andreia Milena, Paulo Alexandre, Sonia Filipa) dans son porte-monnaie.

— La semaine prochaine, je vais avoir trente-cinq ans, annonça-t-elle effrontément. Si tu promets de mettre un smoking et de m'emmener dîner dans un restaurant décent le plus loin possible des *Escargots de l'espoir*, je t'invite : depuis que Mendes est parti, j'ai un vide dans mon cœur.

Et me palpant l'épaule :

— Je suis une personne très affectueuse, je ne peux pas vivre sans amour, *caramba*. Tu dois bien gagner ta vie, hein, les médecins arnaquent leurs patients, si tu t'arrangeais, te peignais, achetais un petit costume avenue de Roma, peut-être serais-tu mignon bien que, pour moi, l'argent, l'aspect extérieur n'ont aucune importance, ce sont les sentiments qui m'intéressent, la beauté de l'âme, non ? Un homme qui me traite gentiment, m'emmène me promener à Sintra le dimanche et ça suffit pour me rendre heureuse comme un canari. Je suis très gaie, tu comprends ? Très calme, très casanière. Tu sais, mon petit, je suis du genre amour et chaumière, mon bain moussant, mon épilation des jambes, un compte ouvert à la pâtisserie, je ne demande rien de plus. Tu n'aurais pas deux cents escudos à me prêter, je prendrais le taxi pour Lisbonne, parce que les trains, sainte patience, très peu pour moi, tu as certainement deux cents escudos, tu dois bien gagner ta vie, tu es un homme comme il faut, je ne supporte pas les mecs qui n'ont pas de bonnes manières, ces voyous qui ont toujours une grossièreté à la bouche, qu'ils aillent tous se faire voir. Excuse-moi de te parler comme ça, mais je suis franche, je ne mâche pas mes mots, je sais ce que je dis, si on est gentil avec moi, je fonds, si on me traite mal, il n'y a plus personne, ensuite j'ai de la sympathie pour toi, je peux te donner beaucoup de plaisirs si je te plais, si tu me comprends, me paies mon loyer, ce que je voudrais c'est me dévouer, avoir quelqu'un qui m'emmène au cinéma et au café, paie mon loyer, me traite comme il faut, aime mon basset, m'accepte. Peut-être que nous pourrions être heureux tous les deux, toi et moi, tu ne crois pas, quand est-ce que tu les sors ces deux cents balles ? Tu as peur que ce soit du bidon ? Tu sais, mon petit, moi c'est le grand amour au premier coup, il n'y a rien à faire, tu m'as tapé dans l'œil, laisse-moi mettre mes lunettes pour mieux t'observer, t'aimer encore plus.

Elle prit d'abord un étui, le fourra de nouveau au fond de son sac (« Zut, celles-là c'est pour voir de loin ») et elle extirpa, d'un embrouillamini de mouchoirs en papier, de tickets de tramway et de papiers froissés, une paire de lunettes aux carreaux grossissants comme un kaléidoscope, derrière lesquels les pupilles avaient disparu, dissoutes dans l'épaisseur du verre : le psychiatre se sentit examiné par un microscope de mauvaise qualité.

— Ah ! mon petit, mais tu es tout jeune, s'exclamèrent les dioptries étonnées, tu as à peu près mon âge, trente-trois trente-quatre maximum, n'est-ce pas ? Je parierais deux cent cinquante écrevisses que tu en as trente-quatre, moi dans ces histoires d'âge je ne me trompe jamais, si ça marchait comme ça avec le loto sportif, il y a belle lurette que j'aurais déjà ouvert une boutique dans le quartier d'Areeiro. Mendes m'a juré sur les os de son frère qui est déjà sous terre qu'il m'en installerait une à Penha de França et alors il a fallu que les communistes arrivent pour voler le monde, pour faire tout foirer, le projet est tombé à l'eau mais si tu crois que j'ai renoncé tu es plus naïf qu'un cocu, Dori a la caboche dure, en amour comme en affaires je suis un bouledogue, je ne lâche pas, j'ai des dents pointues. Dis donc, à propos, combien tu as en banque, plus de cent *contos*, non ? Allez, avoue-le à Dori, si tu voulais, on pourrait ouvrir tous les deux un salon de coiffure, Salon Dori ce serait chouette tu ne crois pas, des lettres lumineuses à l'extérieur, quelque chose de décent, une clientèle chic, des employées triées sur le volet, de la musique de fond, des chaises en velours, un peu comme au cinéma, je tiendrais la caisse car mon point fort c'est le commerce, j'ai travaillé dix ans dans le bureau de tabac de Mendes et je n'ai jamais causé de préjudice à la Havaneza de Arroios, ça a fermé parce que ça devait fermer, les commerces s'usent, tu piges, c'est comme la pile des hommes, la tienne doit être un petit peu usée, mon petit coquin, mais Dori peut s'accommoder, il faut savoir jouer d'une guitare à une seule corde, et puis les fournisseurs de la Havaneza chouravaient effrontément, et alors il se trouve que j'ai rencontré à ce moment Leal, un type qui chantait à la radio, tu le connais certainement, il s'est gratté longtemps pour savoir s'il ferait ou non de la télévision, il m'a dédié de belles musiques, genre romantique, j'en ai même pleuré, tu vois, un type terrible, beau gosse, une binette de cinéma, ce n'est pas pour te vexer, on l'a même contacté pour un roman-photo de *Cronica*, l'histoire d'un ingénieur, fils d'une comtesse, qui aime la bonne de sa mère, bonne qui est finalement la petite-fille d'un marquis et elle ne le savait pas, le marquis habitait à Campo de Ourique et était cloué sur une chaise roulante, j'ai eu beau insister auprès de lui, Leal accepte, accepte ce truc, profite de l'occasion, t'as pas un rond, tu as une gueule d'ingénieur, mais ce type avait son petit orgueil et il s'est planté à cause de ça, si encore c'était un film, il me répondait, si encore c'était un film, j'y réfléchirais, à condition qu'ils me laissent faire ma sieste, un film indien, il avait cette manie des films indiens, si on voulait le rencontrer on n'avait qu'à le chercher à la sortie de l'*Aviz*, il ressemblait à Arturo de Cordoba et à Tony de Matos[1], la même voix, les mêmes boucles bien peignées, la taille aussi, bien fine, il

1. Tony de Matos. Chanteur très populaire du temps de Salazar qui se réfugia au Brésil après la révolution de 1974.

soulevait des poids et haltères le mardi et le jeudi à l'Ateneu, à Caxias et, à la plage, il faisait des ravages chez les minettes, Mendes a accepté la situation, il m'a pardonné, il connaissait mon tempérament et pardonnait, Leal s'est marié avec la propriétaire d'une bijouterie d'Amadora, une chèvre, une salope, qui n'avait même pas de nénés, la veuve d'un marin qui a gagné quelques biffetons pourris dans la contrebande de radios, si ça se trouve il refourguait la moule de sa femme en faisant du porte à porte, j'ai marché à coups de comprimés pour dormir pendant un mois, je ne faisais que soupirer, j'ai même perdu l'envie de regarder le feuilleton, Mendes me faisait de la tisane de tilleul, le pauvre petit, il me donnait des conseils gentiment, Dori, si mon cardiologue le permet, je vais faire de la gymnastique à l'Ateneu, il souffrait d'une angine de poitrine, le pauvre, il avait du mal à monter les escaliers, il se mettait aussitôt à haleter, je ne sais combien de fois j'ai cru qu'il allait y passer, Dori, t'en fais pas, tu as ton Riquinho près de toi, Mendes s'appelait Reinaldo, Reinaldo da Conceição Mendes mais je l'appelais Riquinho parce qu'il aimait bien, j'ai perdu cinq kilos tellement j'étais malheureuse, je me disais ah putain si j'attrape cette pétasse, je lui casserai la gueule avec les dents, petite gouine, pute en rut, elle a crevé en octobre de cette année à la suite d'un anévrisme béni, j'ai payé une messe d'action de grâces à l'église du Beato, mon clito s'est mis à vibrionner de joie pour le restant de mes jours, le curé faisait son baratin en latin sur l'autel, et moi, à genoux, je disais Tu ne sais même pas pourquoi tu pries, mon polisson, vive Benfica, celle qui m'a baisée n'est plus là.

Le médecin atteignit l'avenue longeant le Tage et tourna vers Monte Estoril : il y avait une boîte de nuit au pied de la colline où il ne courait pas grand risque de tomber sur des gens qui le connaissaient : il avait honte d'être vu en compagnie de cette femme trop bruyante, au moins deux fois plus âgée que lui, luttant contre la décrépitude et la misère à l'aide d'une mise en scène absurde à la fois ridicule et touchante, qui lui fit avoir honte de sa propre honte : au fond ils n'étaient pas tellement différents l'un de l'autre et, en un certain sens, leurs luttes frénétiques avaient des points communs : tous deux fuyaient la même solitude insupportable et tous deux, faute de moyens et de courage, s'abandonnaient sans résister à l'angoisse de l'aube comme des hiboux terrifiés. Le médecin se souvint d'une phrase de Scott Fitzgerald, marin angoissé sur le bateau où ils voyageaient, laissé à terre lors d'un périple antérieur, car son cœur nourri par l'oxygène amer de l'alcool était épuisé : dans la nuit la plus obscure de l'âme il est toujours trois heures du matin. Il tendit le bras et caressa la nuque du dinosaure avec une tendresse sincère : *salve*, ma vieille, traversons ensemble ces ténèbres, déclarait son pouce, montant et descendant le long de son cou, traversons ensemble ces ténèbres car on ne peut en sortir que par le fond comme nous l'a enseigné Pavia[1] avant d'enlacer son train, on ne peut en sortir que par le

1. Pavia, Manuel Ribeiro de (1910-1957). Dessinateur et illustrateur de livres, figure légendaire. Il s'est suicidé en se jetant sous un train.

fond et peut-être qu'en nous soutenant mutuellement nous y arriverons, aveugles de Bruegel qui tâtonnent, toi et moi, dans ce couloir rempli des peurs de l'enfance et des loups qui peuplent l'insomnie de menaces.

— Ah ! Ah ! s'exclama Dori avec un sourire triomphal, tu es un chaud lapin, hein ?

Et elle serra mes testicules avec ses phalanges dans un mouvement de casse-noix jusqu'à me faire crier de douleur.

La boîte de nuit devait marquer le terme de leur voyage cette nuit-là : en dehors du barman qui louchait et nous servit un gin et une assiette en plastique emplie de pop-corn avec une mauvaise humeur évidente, et de la disc-jockey qui lisait la BD d'Oncle Picsou dans sa cage sonore, personnage de boîte à musique courbé sur lui-même comme un fœtus, les uniques clients étaient deux hommes somnolents appuyés au bar, leurs nez chevalins plongés dans des abreuvoirs de gnôle et ils regardèrent la femme de l'époque tertiaire, qui faisait rebondir devant moi ses hanches gigantesques, avec l'attention distraite que l'on accorde à une ruine sans intérêt. Les lumières du plafond, clignotant doucement au rythme d'un tango, éclairaient la scène minable de mon exécution : des chaises en fer de terrasse de café, un téléviseur éteint sur une étagère haut placée, des épluchures et des traces circulaires de verres sur le dessus des tables : il mourut dans la misère, expliquaient les livres de lecture à propos du poète défunt, barbu squelettique posant dans des attitudes pensives, méditant probablement sur ce qu'il allait mettre au clou par la suite, ou fabriquant dans sa tête de précieux alexandrins. Dori qui, à l'approche de l'aube, retrouvait une jeunesse de bonne à tout faire éblouie par les solides promesses matrimoniales d'un cousin soldat, commanda un sandwich de poitrine de porc roulée avec du gras, dont elle offrit au médecin, dans un élan de délicatesse subite, la bouchée inaugurale : elle mastiquait la bouche ouverte comme les camions de ciment, et ils dansèrent en échangeant tendrement des bouts de pain (« Avale, mon p'tit pasque t'es v'aiment maig' »), comme des naufragés partageant fraternellement la ration du radeau. Le bigleux donna un coup de coude aux deux équidés qui buvaient de la gnôle et tous trois les observèrent avec une stupéfaction immobile, sidérés par le tableau abracadabrant d'un adolescent vieilli dans les bras d'une baleine paléolithique à la grande crinière frisée. Allez vous faire foutre ! pensa le médecin atterré, en respirant le parfum semblable à un gaz de la guerre de 14, qui émanait en vagues létales de la nuque de la femme, que ferais-je si j'étais à ma place ?

Il est cinq heures du matin et je jure que je ne souffre pas de ton absence. Dori se trouve à l'intérieur et elle dort le ventre en l'air, les bras en croix sur le drap, et son dentier, détaché de son palais, avance et recule au rythme de sa respiration avec un bruit humide de ventouse. Nous avons bu tous deux l'eau-de-vie de la cuisine dans le gobelet en fer-blanc, assis, nus, sur le lit que le gaz de guerre a rendu inhabitable, carbonisant même les feuilles imprimées des taies d'oreiller, j'ai écouté ses confidences prolixes, j'ai séché ses pleurs confus qui ont tatoué mon coude d'un arbuste de Rimmel, j'ai tiré la couverture jusqu'à son cou comme un suaire miséricordieux sur un corps défait, et je suis venu sur la terrasse pour arracher les fientes durcies des oiseaux. Il fait froid, les maisons et les arbres émergent lentement de l'obscurité, la mer est une nappe de plus en plus claire et perceptible, mais je ne pense pas à toi. Parole d'honneur que je ne pense pas à toi. Je me sens bien, joyeux, libre, content, j'entends le dernier train là en bas, je devine les mouettes qui se réveillent, je respire la paix de la ville au loin, je me dédouble en un sourire joyeux et j'ai envie de chanter. Si j'avais le téléphone et que tu me téléphones maintenant, tu devrais appuyer soigneusement l'écouteur contre ton oreille pour entendre le bruit de la mer dans un coquillage : à travers les spires de Bakélite, à des kilomètres de distance, en provenance de cette terrasse de béton suspendue au-dessus du bout de la nuit, tu percevrais l'écho de mon silence, l'écho victorieux de mon silence, auquel se joindrait le piano amorti des vagues. Demain, je repartirai de zéro, je serai l'adulte sérieux et responsable que ma mère souhaite et que ma famille attend, j'arriverai à l'heure à l'hôpital, ponctuel et grave, je peignerai mes cheveux pour tranquilliser les patients, je débarrasserai mon vocabulaire de ses obscénités blessantes. Peut-être même, mon amour, achèterai-je une tapisserie représentant des tigres, comme celle de M. Ferreira : tu peux trouver cela stupide, mais j'ai besoin de quelque chose qui m'aide à vivre.

DU MÊME AUTEUR

Le Cul de Judas
Métaillié, 1983
et coll. « Suite portugaise », 1997

Fado Alexandrino
Métaillié /Albin Michel, 1987
et Métaillié, coll. « Suite portugaise », 1998

Le Retour des Caravelles
Christian Bourgois, 1990
« 10/18 », n° 2589

Explication des oiseaux
Christian Bourgois, 1991
Seuil, « Points », n° P612

La Farce des damnés
Christian Bourgois, 1992
Seuil, « Points », n° P576

L'Ordre naturel des choses
Christina Bourgois, 1992
Seuil, « Points », n°P691

Traité des passions de l'âme
Christian Bourgois, 1993
Seuil, « Points » n° P491

La Mort de Carlos Gardel
Christian Bourgois, 1995
« 10/18 », n° 2992

Le Manuel des Inquisiteurs
Christian Bourgois, 1996
« 10/18 », n° 3102

Connaissance de l'Enfer
Christian Bourgois, 1998
Seuil, « Points », n°P801

La Splendeur du Portugal
Christian Bourgois, 1998
Seuil, « Points », n°P728

Exhortation aux crocodiles
Christian Bourgois, 1999

Livre de chroniques
Christian Bourgois, 2000

Dormir accompagné
Livre de chroniques II
Christian Bourgois, 2001

N'entre pas si vite dans la nuit noire
Christian Bourgois, 2001

IMPRESSION : S. N. FIRMIN-DIDOT AU MESNIL-SUR-L'ESTRÉE
DÉPÔT LÉGAL : JUIN 2001. N° 34896 (55719)